D0553241

LOVALICIOUS

Lees ook de andere chicklit-uitgaven van
Uitgeverij Zomer & Keuning

Els Ruiters
DOOR DIK EN DUN
HOLLEN OF STILSTAAN
LIEFDE IN DE STEIGERS

Anita Verkerk
HEISA IN VENETIË
ETAGE TE HUUR
PRINCESS FLIRT
LEVE DE LIEFDE!

Mariëtte Middelbeek
TWEE IS TE VEEL
REVANCHE IN NEW YORK
STERRENSTATUS
DIOR EN DENNENBOMEN

Mia Land
TAXI!
RONDJE!

Mariëtte Middelbeek

Lovalicious

Zomer & Keuning

ISBN 978 90 5977 345 5
NUR 340

Omslagontwerp: Julie Bergen
Omslagfoto: Corbis

www.nederlandsechicklit.nl

1

„En als het jongetje zijn moeder na de zoektocht in de supermarkt weer gevonden heeft, krijgt hij van haar een handje Pranks," zeg ik, terwijl ik geroutineerd door de PowerPointpresentatie heen schiet. „Pranks staat voor troost, voor meevoelen met een ander. Vooral met een kind. Ouders moeten het idee krijgen dat ze hun kind echt een traktatie geven. Met deze reclamecampagne gaat dat gegarandeerd lukken."

Zelfverzekerd kijk ik de zaal in. „Zijn er nog vragen?"

Ik zie de brandmanager van Pranks goedkeurend knikken en ik weet dat ik gebakken zit, want die man is net zo *hard to impress* als Victoria Beckham bij een modeshow voor mini-maatjes. En dat terwijl hij iets aan de man moet brengen dat heel wat minder hip is dan couture. Pranks zijn ontzettend smerige, veel te kleine chocoladesnoepjes met weinig suiker, wat je jammer genoeg heel erg proeft, maar met een, volgens de makers, echte chocoladesmaak, die je dan weer niet proeft.

Visser & Visser, het reclamebureau waar ik werk, heeft de onmogelijke opdracht gekregen om deze vieze, naar deeg smakende chocoladeballetjes in de markt te zetten. Het maakt niet uit op welke manier, als ze maar verkocht worden, was de opdracht. Aan mij, Saskia Jongemans, junior campagnemaker, de taak om die uit te voeren.

De brandmanager, die zich steevast meneer Bruijns laat noemen en niet meedoet aan de tamelijk informele omgangsvormen in de reclamewereld, komt naar me toe en geeft me een hand. „Dat zag er heel goed uit," complimenteert hij. „Ik ben er erg blij mee. Er zal hier en daar natuurlijk nog wat geschaafd moeten worden, maar het begin is er. Zeg maar tegen Pepijn dat ik vind dat hij vakwerk heeft geleverd."

Mijn mond zakt open en ik kan niets uitbrengen. Meneer Bruijns loopt alweer weg, maar bedenkt zich dan en draait zich om. „Oh, en jouw presentatie was ook niet onaardig."

Ik stamp zo hard met mijn voet op de grond dat ik mijn torenhoge stilettohak vervaarlijk voel wiebelen. Hoe dúrft hij?

„Wat is er?" Pepijn, de ene helft van het duo Visser & Visser, is naast me opgedoken. „Je kijkt alsof je van plan bent iemand te gaan kielhalen. Dat, of je hebt net heel hard op je tong gebeten."

„Het eerste," grom ik. „Ik ben zó beledigd."

Pepijn kijkt om zich heen. „Bruijns?" gokt hij dan.

Ik knik. „Hij heeft zijn complimenten voor de campagne uitgesproken. Bedoeld voor jóu." Ik zend een blik in de richting van de brandmanager die hopelijk heel dreigend overkomt, maar hij ziet het niet.

Naast me schiet Pepijn in de lach. „Zei hij dat echt? Ik heb hem nog zo gezegd dat ik de hele campagne aan jou heb uitbesteed, dat je een van onze grote talenten bent en blablabla."

Oh ja, dat is iets heel irritants aan Pepijn, waar ik maar niet aan kan wennen. Hij heeft de neiging het grootste deel van zijn zinnen te eindigen met 'blablabla'. Misschien werkt hij iets te lang in de reclame en wil hij hiermee aangeven dat veel van wat reclamemensen zeggen eigenlijk niets betekent, maar als je, zoals ik, per dag nogal veel tijd met hem doorbrengt, kun je er behoorlijk gestoord van raken. Een tijdje geleden heb ik besloten dat ik het niet meer hoorde, maar dat heeft helemaal verkeerd uitgepakt. Sindsdien valt het me alleen maar extra op.

Geloof me, ik heb uitgerekend dat hij het gemiddeld om de vijf zinnen zegt. En hij praat heel veel.

„Ach, trek het je niet aan," probeert Pepijn me op te beuren. „Uiteindelijk gaat het erom dat Visser & Visser een goede indruk achterlaat. En dat is gelukt. Het maakt iemand als Bruijns niet uit of het poppetje A of B is dat de details invult. Hij wil gewoon een goede campagne, waarmee hij weer bij zíjn baas kan aankomen, zodat die tevreden over hem is en blablabla."

„Jij hebt makkelijk praten," mok ik nog even verder. „Ik ben degene die minstens vijf avonden heeft zitten werken om die verdomde campagne af te krijgen om vervolgens te horen dat de presentatie 'ook niet onaardig' was." Nu ik het zeg, word ik er weer boos om.

Pepijn lacht echter vol overgave, met zijn hoofd in zijn nek. Hij slaat zijn arm om mijn schouders. „Trek het je niet aan. Als ik Bruijns spreek, zal ik nog een paar keer laten vallen hoe geweldig jíj de campagne hebt gemaakt en hoe blij ik ben dat ik een grote opdracht als deze, helemaal aan jou kan overlaten." Ineens kijkt hij me serieus aan. „Daar is trouwens geen woord van gelogen, Sas. Ik ben echt ontzettend blij met je."

Hij zendt me een diepe, innige blik en als ik niet zeker wist dat hij op mannen valt, zou ik nog denken dat hij een oogje op me heeft. Het volgende moment is Pepijn weer gevlogen en even later duikt hij op bij een groepje mannen. Hoewel ik nog verongelijkt wil zijn, glimlach ik.

„Zo mag ik het zien." Ik krijg een flinke pets op mijn schouder en kijk in het lachende gezicht van Emily de Ruyter, mijn collega en vriendin. „Jemig, wat kun jij chagrijnig kijken." Ze stopt een zalmhapje in haar mond en neemt een slok van haar champagne, terwijl ze ondertussen duidelijk probeert te maken wat ze van mijn presen-

tatie vond. Ik maak eruit op dat het wel oké was.
„Weet je, Ems, die snoepjes zijn echt niet te vreten," verklap ik. „Het is niet makkelijk om een campagne te verzinnen als je nog bezig bent de deegresten van je kiezen te peuteren en de vieze smaak weg te eten met échte chocolade."
„Weet ik, weet ik." Emily kijkt me onbewogen aan. „Die enorme voorraad Pranks die jij in de kast had gelegd, heb ik aan mijn neefje gegeven. Hij heeft drie uur gehuild en toen wist ik dat die dingen puur vergif zijn."
Ik knik geestdriftig.
„Maar," gaat Emily onbezorgd verder, „dat is niet ons probleem. Wij zijn alleen maar reclamemakers, die nooit verantwoordelijk kunnen worden gehouden voor de kwaliteit van een product. Als de eerste Pranks-dode valt, hoeven ze bij ons niet aan te komen."
Achter ons schraapt iemand zijn keel en terwijl er zo'n vaag gevoel van onrust in mij opspeelt, draaien we ons gelijktijdig om. Daar staat meneer Bruijns, en hij kijkt niet blij. Ik heb geen idee wat ik moet zeggen en staar naar mijn tenen.
„Nee echt, ik meen het," neemt Emily gelukkig het woord. „Ik zou dood kunnen gaan nu ik Pranks heb geproefd. Sterker nog, ik zou dood kunnen gaan térwijl ik Pranks aan het eten was. Dan zou mijn leven volmaakt geweest zijn." Ze spert haar ogen zo wijd open dat ze bijna uit hun kassen rollen, maar haar onschuldige-meisjes-truc werkt perfect. Meneer Bruijns laat een van zijn zeldzame glimlachjes zien. Blijkbaar heeft hij alleen het laatste deel van ons gesprek opgevangen. Ik haal opgelucht adem.
„Zo, dat hebben we ook weer opgelost," zegt Emily zor-

geloos als Bruijns wegloopt om zijn jas te pakken. „Jij ook wat champagne? Je hebt vandaag een grote klant tevreden gesteld. Daar mag best op gedronken worden, Sas!"

Ze loopt weg om een ober te zoeken. Opeens merk ik hoe moe ik ben. Afgelopen week heb ik elke dag overgewerkt om de campagne op tijd af te krijgen. Gelukkig is het vrijdagmiddag, iets over halfvijf. Zo meteen knijp ik ertussenuit en ga ik helemaal in mijn eentje van het weekend genieten. Morgen ga ik iets doen wat helemaal niet bij mijn hippe baan, mijn trendy voorkomen en mijn stoere imago past. Morgen ga ik naar de rommelmarkt. En ik vind het geweldig.

Zo lang ik me kan herinneren keek ik elk jaar uit naar Koninginnedag. Mijn ouders dachten dat het was vanwege de wedstrijd fietsen versieren of misschien vanwege de kermis, maar ik was alleen maar geïnteresseerd in de rommelmarkt. Van mijn moeder mocht ik die oude troep, zoals zij het noemt, niet mee naar huis nemen, maar dat deed ik natuurlijk toch. Als ze iets in mijn kamer vond, pakte ze het heel voorzichtig tussen haar duim en wijsvinger en gooide ze het in de vuilnisbak. Toen onze kat een keer vlooien had, wist zij heel zeker dat die afkomstig waren van iets dat ik op de rommelmarkt had gekocht.

Maar dat heeft mijn lol in oude spullen niet verpest. Geen van mijn collega's weet dit, zelfs Emily niet, maar als het even kan ben ik te vinden tussen de oude keukenspullen, klokken die het niet meer doen, foeilelijke beeldjes, gebruikte kleding en wat mensen allemaal nog meer wegdoen. Achter oude spullen zit een heel verhaal en daarom vind ik het zo intrigerend. Bovendien zijn oude spullen gewoon spotgoedkoop en met een likje verf zien veel dingen er weer als nieuw uit.

Het imago van een rommelmarkt is, onterecht in mijn ogen, stoffig en suf. Als reclamemaker jeuken mijn handen om er iets moderns van te maken, maar helaas is een rommelmarkt geen bedrijf en acht ik de kans klein dat de vereniging van rommelmarktliefhebbers – als die al bestaat – de handen ineenslaat en Visser & Visser inhuurt om het imago van hun markten op te vijzelen.

En misschien is dat ook maar beter. Rommelmarkten zouden immens populair kunnen worden en dan kun je het wel vergeten dat je met de mooiste spullen thuiskomt, omdat iedereen die natuurlijk wil. En bovendien zou je nooit een parkeerplek kunnen vinden in Antwerpen, waar de mooiste rommelmarkten worden gehouden.

Met dat probleem zit ik vandaag ook al. Slechts met heel veel moeite weet ik een plekje te vinden voor mijn stokoude, rammelende Nissan Sunny. Hij is al zo vaak gedeukt dat het me niet meer uitmaakt als ik met inparkeren een bumpertje meer of minder meeneem en dat is maar goed ook, want ik ben niet zo'n held met parkeren. Maar uiteindelijk lukt het me toch en tevreden stap ik uit.

Terwijl ik de paar straten tussen mijn parkeerplek en de markt afleg, begint mijn telefoon in mijn tas te rinkelen. Pepijn, zie ik op het schermpje. Wat moet hij van me op zaterdag?

„Hé baas," neem ik luchtig op. „What's up?"

Hij klinkt paniekerig als hij zegt: „Mijn computer is gecrasht. Ik ben op kantoor om wat werk in te halen en nu doet hij helemaal niets meer. Je moet me helpen, Sas."

Ik slik. „Dat kan niet."

„Hoezo? Jij bent hier heel erg goed in, je hebt het vast binnen vijf minuten gefikst." Dat is trouwens waar, op een of andere manier zijn computers en ik een goede match. Mijn grote fout is alleen geweest dat ik dat aan mijn col-

lega's heb laten weten.
„Ik eh..." Mijn hersenen draaien op volle toeren. Waar ben ik? Waarom kan ik absoluut niet naar kantoor komen? „Ik ben bij mijn oma," verzin ik dan. „Ze is jarig."
Pepijn is stil en ik weet dat ik een grote fout heb gemaakt. Mijn oma is niet jarig. Mijn oma is namelijk dood.
„Je oma," herhaalt hij dan. „Die oma van wie je laatst op de begrafenis bent geweest? Ze was toch overleden in haar slaap aan een hartstilstand en toen was ze naar het ziekenhuis gebracht en blablabla."
Ik bijt op mijn lip. „Die oma, ja," zeg ik met hopelijk een heel klein beetje overtuigingskracht. „Ze zou vandaag jarig geweest zijn en ik ben bij haar graf."
„Hm." Pepijn gelooft er duidelijk geen woord van, maar zegt toch: „Kun je daarna niet even komen?"
„Nee, dat wordt lastig. We houden een herdenking en dat kan wel even duren. Kun je Emily niet bellen?"
„Ik zei toch dat mijn computer al gecrasht is, niet dat ik hem graag wil laten crashen." Daar heeft hij een punt, Emily is hopeloos met alles waar een stekker aan zit.
„Nou ja, hoe dan ook, ik kan je niet helpen," probeer ik hem af te schudden. Ik wil niet dat hij doorvraagt, want ik ben een kansloze leugenaar. Uiteindelijk vertel ik altijd de waarheid.
„Oké. Laat maar dan." Hij klinkt diep teleurgesteld.
„Doei!" roep ik vrolijk en hang snel op. Pepijn zou nooit kunnen begrijpen wat ik op een rommelmarkt te zoeken heb en daarom vertel ik hem niets. Ik heb er geen behoefte aan opgezadeld te worden met alle oude troep op kantoor, maar de humor van mijn collega's kennende, is dat precies wat er zal gebeuren als mijn hobby uitlekt.
Ik schakel mijn mobiel uit en loop verder. Het begint

zachtjes te regenen en her en der duiken vrouwen op met regenkapjes. Dat is een vervelende bijkomstigheid aan niet-hippe hobby's, je komt altijd niet-hippe mensen tegen. En dat zou allemaal nog niet zo erg zijn als ik zelf een voorliefde zou hebben voor heuptasjes en brillen uit het jaar nul, maar mijn werk vereist nou eenmaal dat ik trendy ben en heel eerlijk gezegd voel ik me een stuk beter in een skinny jeans dan in een broekrok. Op rommelmarkten ben ik een bezienswaardigheid op zich.

„Zo juffie," zegt een oude man achter een kraampje. „Kan ik je ergens mee helpen?" Hij lacht er suggestief bij en ik zend hem een vernietigende blik die hem ter plekke dood zou doen neervallen als dat is wat blikken konden doen. Eigenlijk wil ik meteen doorlopen, maar mijn oog valt op een bestekcassette, die een beetje verscholen staat achter een koekoeksklok en een dozijn oude koekenpannen. „Wat is dat?" vraag ik een stuk vriendelijker.

De man kijkt me wantrouwig aan. Misschien is hij bang dat ik zijn hand eraf bijt als hij te dicht in de buurt komt. Getver, het idee alleen al...

„Wat is dat voor iets?" herhaal ik mijn vraag.

„Een bestekset," antwoordt hij onwillig. „Heb ik zelf onlangs op een markt gekocht, maar ik heb geen zin om het zilver te poetsen. Volgens mij is de set compleet en als je er wat tijd in steekt, heb je er best iets moois aan."

„Mag ik even kijken?"

Ik pak de cassette van hem aan en laat mijn vinger langs de mooi bewerkte randjes glijden. Zelfs als je het zilver niet poetst, zelfs als er helemaal geen bestek in zou zitten, zou deze cassette niet misstaan in mijn kamer. Ik heb een leeg hoekje boven op een kast dat me mateloos irriteert, maar ik heb nog niets gevonden dat er perfect op zou staan. Dat wil zeggen, tot dit moment.

Ik open de laatjes, die vol zitten met prachtig bestek, dat inderdaad wel een flinke opknapbeurt kan gebruiken. Of niet, want mijn messen en vorken van Ikea functioneren prima, dus ik heb het bestek niet nodig. Maar de verpakking is te mooi om te laten staan.

„Hoeveel?" hoor ik mezelf al vragen.

De man kijkt me geringschattend aan. „Voor jou tachtig euro."

Niet gek, denk ik, maar ik zeg: „Ja, daag. Dat is dat oude ding echt niet waard, hoor. Ik bied veertig."

De man speelt het spelletje mee. Hij draait zich om, doet alsof hij wegloopt en mompelt: „Veertig? Laat me niet lachen. Zeventig, maar dat is mijn laagste bod."

We steggelen nog wat over de prijs, maar worden het dan eens over vijftig euro. Helemaal geen slechte koop, bedenk ik als ik even later met de bestekset onder mijn arm verder over de markt struin. Ik weet nog een set antieke poppenhuispoppetjes op de kop te tikken voor mijn nichtje en om ruzie te voorkomen, neem ik voor mijn neefje een paar oude raceautootjes mee. Maar eigenlijk wil ik naar huis om mijn bestekset eens goed te bekijken en om het zilver te poetsen. Na krap een uur op de rommelmarkt stap ik alweer in mijn roestige Nissan om de 160 kilometer naar Amsterdam af te leggen. En dat allemaal voor een stokoude bestekset. Ik lijk wel gek.

„Heb je zin om vanavond mee te gaan naar Panama?" tettert Sasja Jaspers, een van mijn beste vriendinnen, in mijn oor. Van schrik valt mijn headset naar beneden en terwijl ik ernaar grabbel onder mijn stoel, bedenk ik dat dit tien keer gevaarlijker is dan gewoon een telefoon tegen je oor houden terwijl je achter het stuur zit.

„Ehm, oké," zeg ik, als ik mijn oordopjes weer in heb.

„Mooi. Kom je eerst eten?"

Ik werp een blik op het klokje in mijn dashboard. Het is bijna vijf uur en ik ben pas bij Breda. Het is een misvatting dat files alleen doordeweeks, en dan ook nog alleen in de spits voorkomen. „Ik weet het niet," zeg ik langzaam, „ik sta al anderhalf uur in de file en ik ben pas tegen halfzeven thuis, vrees ik."

„Waar ben je dan?" Sasja's stem klinkt ineens op halve sterkte en ik besef dat ik weer een oordopje kwijt ben. Terwijl ik probeer het opnieuw in mijn oor te frummelen, wordt er woedend naar me getoeterd vanaf de andere rijbaan.

„In de auto," antwoord ik. „Ik heb ruzie met de headset en nu ook met de man naast me. Luister, ik moet ophangen. Ik bel je wel als ik thuis ben."

„Oh nee," kreunt Sasja, mij straal negerend. „Je bent toch niet op een van die rommelmarkten van je geweest, hè?"

Aangezien ik Sasja al ken vanaf de kleuterschool, heb ik voor haar nooit kunnen verbergen dat ik gek ben op tweedehands spullen. Eerst vond ze het geloof ik wel grappig, maar inmiddels laat ze altijd een geluid horen dat het midden houdt tussen een zucht en het geluid dat een kat maakt als hij met zijn staart tussen de deur komt.

„Misschien," antwoord ik.

„Ja, dus. Nou, ga je vanavond mee of niet?"

„Ik eet wel thuis en dan ben ik om tien uur bij jou. Bel jij de anderen?"

De anderen, dat zijn Sasja's broer Bart en mijn vriendin Lily, die eigenlijk Liliane heet maar al zo lang Lily wordt genoemd dat zelfs zij af en toe moeite heeft zich haar echte naam te herinneren. Met Bart heb ik in een grijs verleden een romance gehad, maar daar worden we allebei liever niet aan herinnerd. Vooral ook omdat ik de laatste vrouw ben met wie Bart een relatie heeft gehad. Sindsdien valt hij alleen op mannen. Kortom, Bart en ik doen het beter als vrienden.

„Jep," belooft Sasja en daarna hangen we tegelijk op. Ik leun achterover en kijk naar de rij auto's voor me. Eigenlijk had ik de avond liever aan mijn nieuwste aanwinst besteed, maar ik denk dat Sasja me als lid van de groep royeert als ze daar achter zou komen. En trouwens, het is al vier weken geleden dat ik voor het laatst echt ben gaan stappen, dus het wordt ook wel weer eens tijd. Als Sasja nou maar niet weer met allerlei mannen aan komt zetten aan wie ze me écht even moet voorstellen, want dat is echt het laatste waar ik zin in heb. Ik heb mannen afgezworen sinds mijn vorige vriend er niet één, niet twee, maar zelfs drie affaires op na bleek te houden. Ik heb hem serieus gevraagd of ik dan echt zó slecht was, maar daar heeft hij niet op geantwoord. Vermoedelijk omdat hij moeite had zijn verschillende vrouwen uit elkaar te houden en het antwoord op mijn vraag dus echt niet wist.

Hoe dan ook, mannen zijn verleden tijd voor mij. Best een trieste constatering op je 26e en ik sluit dan ook niet uit dat het heel misschien in de verre toekomst weer goed komt tussen mij en het andere geslacht, maar vooralsnog vermaak ik me prima in m'n eentje. Met mijn vrienden. Die, jammer genoeg, allemaal wel aan de man zijn (inclusief Bart, hoewel niet noodzakelijkerwijs altijd dezelfde man), maar dat mag de pret niet drukken, want zo nu en dan zijn ze bereid hun vriendjes thuis te laten om met mij, hun zielige alleenstaande vriendin, op pad te gaan. Althans, zo zien zij het, wat tot gevolg heeft dat ze meestal de hele avond bezig zijn een man voor mij te vinden. De eerste vijf drankjes lang subtiel, maar daarna meestal schaamteloos.

Ik word moe bij het idee alleen al. Ik ga vanavond niets anders doen dan me urenlang vermaken op de dansvloer en iedere kerel die in de buurt komt krijgt ontzettend per ongeluk de punt van mijn *killer heel* op zijn voet.

2

Het vervelende met telefoons is dat ze nooit gaan wanneer je erop zit te wachten en altijd gaan wanneer je het niet kunt gebruiken. Een schel toontje dringt mijn nog altijd benevelde hoofd binnen en heel langzaam open ik één oog. Ik verkeer duidelijk in de ontkenningsfase – het kan nog helemaal geen dag zijn, ik lig pas net in bed!

Ik geef één goedgerichte mep op mijn telefoon, die meteen ophoudt. Wie het ook is, niemand heeft het recht om mij zo vroeg wakker te bellen. Mijn moeder heeft het tot een sport verheven om op zondagochtend zo vroeg mogelijk te bellen. Laatst belde ze om halfacht, maar dat kwam wel goed uit, want ik stapte net in een taxi die me van de afterparty naar huis zou brengen. Maar dat hoefde zij dan weer niet te weten.

Ik gluur door mijn wimpers naar mijn wekker en probeer de digitale cijfers te ontwaren. Ik zie een 1, een 3 en een paar nullen. Is het halfelf? Eén uur?

Mijn telefoon begint opnieuw te rinkelen en ik tast ernaar terwijl ik nog altijd weiger mijn ogen helemaal te openen. „Hallo?" mompel ik.

„Sas!"

Oh nee. „Hm?"

„Sas, ben je al wakker?"

„Nu wel," mompel ik. Ik draai me op mijn rug en doe mijn ogen dan toch maar open. „Wat is er?"

„Oh niets." Ik hoor aan Sasja's lichte gehijg dat ze alweer op haar crosstrainer staat. Serieus, hoe dat ze dat? Ze is aan het sporten, terwijl ik overweeg de hele dag in bed te blijven, omdat de alcohol die gisteravond zo vrolijk door mijn bloed stroomde nu als een grote bal tegen de binnenkant van mijn schedel stuitert. De laatste keer dat ik het checkte, zo rond halfvijf vanochtend, was ook Sasja een aardig eind heen.

„Heb je zin om te gaan hardlopen?" vraagt Sasja en ik kreun.

„Nee, natuurlijk niet."

„Echt niet? Want ik ben over tien minuten klaar op de crosstrainer en dan wil ik een rondje Vondelpark doen." Zoals Sasja het zegt klinkt het enig, maar ik laat me niet meer voor de gek houden. Een rondje Vondelpark met haar is net zoiets als met drie kilo lood aan je benen rondjes rennen in de woestijn. Zij rent sneller dan wie ook, schijnt het leuk te vinden om andere mensen te zien lijden en dan ook nog met een onzinnige vrolijkheid die bij mij bij elke vorm van sport heel ver te zoeken is. Sport is niet meer dan een noodzakelijk kwaad en hoewel Sasja en ik het in het dagelijks leven heel goed kunnen vinden samen, zijn we als water en vuur zodra er sport in het spel is. Ik overweeg daarom de verbinding zonder enige uitleg te verbreken.

„Sas?" vraagt mijn vriendin. „Je bent er toch nog wel?"

Ik mompel iets onverstaanbaars.

„Zie ik je dan over een kwartier bij de ingang van het Vondelpark?" vraagt ze hoopvol.

„Ik heb een blessure," beweer ik.

„Nee hoor, die heb je niet. Je hebt gewoon geen zin."

Ik trek een gezicht. „Misschien."

„Moet je niet eens wat aan sport doen?" vraagt Sasja. „Ik bedoel, ik wil niet vervelend zijn en ik ben ook best heel blij met die zak kleren die ik laatst van je heb gekregen, maar..." Ze zwijgt veelbetekenend en ik kan haar wel kielhalen, hoewel ze gelijk heeft. Of misschien juist omdát ze gelijk heeft. Ik heb bij de laatste opruimronde in mijn kledingkast meer moeten weggooien dan ooit, omdat mijn oude vertrouwde maat 38 haast ongemerkt in een maat 40 is veranderd. Sasja deed alsof ze heel blij was met alle kleding die ik aan haar heb gegeven, maar ondertussen weten we allebei dat eigenlijk alles haar te groot was. Omdat zij op dit moment op een crosstrainer staat en ik niet.

„Oké," hoor ik mezelf toegeven. „Ik zal er zijn."

Ik sport vooral uit financiële overwegingen. Maat 40 dreigt iets van de lange termijn te worden en ik heb geen geld om een compleet nieuwe garderobe aan te schaffen. Had ik dat wel, dan zou ik waarschijnlijk langzaam uitdijen tot 40, dan 42 en, wegens een verslaving aan alles waar ook maar een flintertje chocola in zit, waarschijnlijk daarna ook 44. En dat zou niets uitmaken, want mannen heb ik afgezworen. De enige twee die ik nog toelaat in mijn leven zijn mijn vader, want getrouwd met mijn moeder, en Bart, want homo. Zelfs mijn goudvis is een vrouwtje. Ze keken me bij de dierenwinkel wat vreemd aan, maar ik neem liever het zekere voor het onzekere.

Sasja heeft al opgehangen en ik kom met veel moeite overeind. Ik sleep me naar de badkamer en stap onder de douche, wat onzinnig is als je bedenkt dat ik zo meteen in een moordend tempo door het park moet hollen, maar zonder warm water word ik vandaag niet wakker.

Met warm water trouwens ook niet.

Half verdoofd kleed ik me aan en vul een flesje water. Ik voel me behoorlijk belachelijk als ik in mijn zuurstokroze hardloopshirt en oude joggingbroek de straat op ga, maar gelukkig is het zondagmiddag en ziet iedereen er een beetje verlept uit. Wat ook kan komen doordat ik de puf niet heb om mijn lenzen in te doen.

Sasja is al bezig aan een warming-up op de plaats als ik aankom. Zodra ze me ziet, begint ze enthousiast op en neer te springen, wat me een beetje duizelig maakt. Ik kan niet geloven dat iemand die een uur of zes geleden net zo dronken als ik Panama uit zwalkte, er nu alweer zo fris en fruitig uitziet. Sommige mensen hebben die gave – het is niet iets wat je kunt leren, denk ik.

„Kom op, we gaan!" Sasja slaat me op mijn schouder en holt dan weg. Ik slaak een diepe zucht, kijk om me heen om zeker te weten dat er geen bekenden in de buurt zijn en ren achter haar aan. Mijn benen protesteren onmiddellijk.

„Sas, wacht nou even," smeek ik tien minuten later, als ik druipend van het zweet en met een kop als een kreeft slechts nog met veel moeite mijn ene been voor mijn andere weet te krijgen. Meters voor me draaft Sasja energiek over de brede lanen, hier en daar vrolijk een medehardloper groetend.

„Sas!" probeer ik nog een keer, met een tong van schuurpapier. Ze kijkt om en mindert een klein beetje vaart.

„Kom je?" roept ze over haar schouder.

Terwijl ik antwoord wil geven, voel ik dat mijn knieën het begeven. Het enige wat ik kan uitbrengen is een dramatische schreeuw en dan komt mijn lichaam hard in aanraking met het asfalt van het Vondelpark. Er rijdt meteen een fietser tegen mijn bil, die vloekend zijn weg vervolgt.

Ik heb geen pijn, ik bén pijn. Ik besta alleen nog maar uit pijn.

„Gaat het?" Sasja leunt over me heen en kijkt me onderzoekend aan. „Wat gebeurde er nou?"

„Weet ik veel," mopper ik. „Het komt door dat hardlopen van jou, dat is gewoon niet goed voor me. Ik moet het ook niet meer doen. Kom, we gaan naar huis."

Wonder boven wonder protesteert Sasja niet. Ik probeer op te staan, maar mijn benen weigeren dienst. Als ik overeind ga zitten, zie ik dat ze van mijn knieën tot mijn enkels geschaafd zijn. De gedachte aan rokjes kan ik de komende weken uit mijn hoofd zetten.

„Hm." Sasja bestudeert de schaafwonden. „Dat ziet er bloederig uit. Heb je geen zakdoek of zo?"

Sasja kan niet tegen bloed, zelfs niet in zeer kleine hoeveelheden. Ik zie haar al wit wegtrekken.

„Niets aan de hand," zeg ik en ik sta op, een schreeuw van pijn onderdrukkend. Het laatste waar ik zin in heb is een flauwgevallen Sasja op mijn rug naar huis dragen. „Kijk, ik loop alweer. Zie je? Ik voel het niet eens." Ik hoop dat ze de tranen in mijn ogen niet ziet.

„Goed, we gaan naar huis." Ik grijp haar arm en hoop dat ze niet merkt dat ik stiekem op haar steun als we samen naar mijn huis lopen.

„Wat heb jij nou?" Bart houdt zijn hoofd schuin en bestudeert het kleine stukje been tussen mijn sok en de rand van mijn spijkerbroek.

„Niets," zeg ik, terwijl ik het snel bedek. „Ik heb me gestoten."

„Ze is gevallen," vertelt Sasja, „midden in het Vondelpark, toen we aan het hardlopen waren. En toen werd ze aangereden door een fietser."

Heel leuk, heel fijn. Ik voel aan de blauwe plek op mijn linkerbil waar het voorwiel me heeft geraakt.

„Ik zal er maar niet bij vertellen dat jij vervolgens flauwviel," overdrijf ik. „En dat ik je naar huis moest slepen."

Bart wrijft vergenoegd in zijn handen. „Ik heb heel wat gemist, geloof ik."

„Ja, omdat jij niet mee wilde," zegt zijn zusje. „Je was

vanochtend met geen tien paarden wakker te krijgen. Of nee, vanmiddag, bedoel ik."

„Het was laat geworden," verdedigt Bart zich. „En een mens heeft het recht om uit te slapen op zondag."

„Mee eens," stem ik.

Bart staat op. „Ik vind het heel gezellig, maar ik moet helaas weg." Hij geeft geen toelichting en wij vragen er niet om. We gaan ervan uit dat hij naar zijn vriendje gaat, al is de invulling van die positie elke week anders.

„Dag, lieve schat." Bart geeft me een kus op mijn wang en raakt even mijn schouder aan. „Laat je niet gek maken door die zus van me. Je bent helemaal niet dik."

Hij maakt zich snel uit de voeten en het kussen dat ik naar hem toe gooi, raakt de deur. „Heb jij tegen hem gezegd..." begin ik snuivend, maar Sasja kijkt me onschuldig aan. Ik werp een blik op mijn buik, die zich in de vorm van een kleine rol een weg over mijn broekband heeft gebaand.

„Hoi. Bart deed de deur open." Ineens staat Lily in de huiskamer. „Dus ik dacht, ik loop maar door."

Sasja springt overeind en begroet haar met een kus op haar wang. Iets wat ik normaal gesproken ook zou doen, maar ik heb inmiddels pijn in spieren waarvan ik het bestaan niet vermoedde en blijf dus zitten.

„Wat heb jij?" vraagt Lily verbaasd.

„Ze is gevallen," vertelt Sasja enthousiast. „Tijdens het hardlopen, midden in het Vondelpark." Ik werp haar een waarschuwende blik toe, maar uiteraard vermeldt ze ook het voorval met de fietser.

Gelukkig kijkt Lily me aan met een blik vol medelijden. Het zou niet in haar opkomen me uit te lachen, zoals Sasja en haar broer. „Ach lieverd, gaat het weer een beetje?"

Ik heb zin om te gaan huilen, maar dat zou wat overdreven zijn. Daarom knik ik alleen maar zielig.

Lily loopt naar mijn keuken om thee te maken. Lang geleden hebben mijn vrienden en ik afgesproken dat we elkaar geen drankjes aanbieden en dat we, als we bij een ander zijn, ook niet afwachten tot iemand het voor je pakt. Als je dorst hebt, pak je het gewoon zelf. Inmiddels zijn we zover dat Sasja en Lily meer thuis zijn in mijn keuken dan ik en als ik iets echt niet kan vinden, bel ik een van hen.

Sasja kijkt me aan met een blik die ik maar al te goed van haar ken. „Wat?" zeg ik op eisende toon.

„Niets." Ze blijft me aankijken.

„Als je het nu niet zegt, dan..."

„Oké, oké. Ik dacht aan gisteravond. Die ene man."

Ik knijp mijn ogen tot spleetjes en probeer me te herinneren wie ze bedoelt. Sasja heeft me gisteravond aan minstens vijftien mannen voorgesteld, die ze zelf ook nog maar een paar minuten kende. Om een of andere reden gaat ze ervan uit dat ik nu door middel van telepathische krachten kan raden welke van de vijftien ze bedoelt.

„Die met die blonde krullen. Lars, heette hij, volgens mij. Of Jelle. Of nee, Jeroen."

„Peter," vult Lily vanuit de deuropening aan. „Ik denk dat hij Peter heette."

„Ik heb geen flauw idee wie jullie bedoelen en ik wil het ook niet weten, want ik heb gisteravond niet één leuke man ontmoet," zeg ik.

Sasja's wenkbrauwen schieten omhoog. „Maar je hebt met de krullenbol gezoend! Dan mag je toch op z'n minst zijn naam onthouden, lijkt me zo."

Ik kijk haar vertwijfeld aan. „Heb ik dat echt gedaan?

Waarom heb je me niet gewaarschuwd? Of beter nog, tegengehouden?"

Ze haalt haar schouders op. „Je noemde hem blonde god. Hoe had ik moeten weten dat je eigenlijk niet wilde?"

Ik sluit mijn ogen en probeer de herinnering terug te halen. Ik zie wel flarden van wat er is gebeurd, maar blonde krullen kan ik me niet herinneren.

„Ben je vanochtend wel in je eigen bed wakker geworden?" vraagt Lily en dan heb ik ze door. Ik steek mijn tong uit en ga zitten mokken, terwijl mijn vriendinnen vrolijk lachen. Er was helemaal geen Peter, Jelle of Jeroen.

„Serieus, Sas," zegt Sasja, als Lily voor ons alle drie thee heeft neergezet. „Ik begrijp best dat je diep gekrenkt bent door wat Xander je heeft aangedaan, maar er zijn zoveel leuke mannen dat het zonde is om als non te blijven leven. Ik heb er gisteren wel twintig voor je gezocht, maar ze zijn allemaal op de vlucht geslagen voor het ijskonijn dat jij wordt als er een man in de buurt is."

„Omdat ze allemaal onbetrouwbaar zijn," zeg ik stellig. Misschien dat ik een beetje generaliseer, maar in mijn gekwetste gevoelswereld is nou eenmaal geen plaats voor nuances. Dat weten ook Sasja en Lily en na een blik waarmee ze elkaar duidelijk maken dat ik een hopeloos geval ben, houden ze erover op.

„Wat is dit eigenlijk?" Lily loopt naar de tafel en strijkt met haar vinger over de bestekcassette, die ik gisteravond had meegenomen om hem te laten zien en die nog steeds bij Sasja staat.

„Dat is een antieke bestekset." Ik gebruik 'antiek' graag als synoniem voor 'oud'. En ook voor 'versleten'.

Lily kijkt me aan. „Echt? Gaaf! Is hij van een koning geweest? Of misschien van een graaf?"

Lily heeft nogal veel fantasie, wat een van de redenen

is dat ze scenarioschrijfster is geworden.

Ik haal mijn schouders op. „Geen idee. Ik vond hem gewoon mooi en daarom heb ik hem gekocht."

Lily trekt een laatje open en pakt een zilveren mes, dat ze grondig bestudeert. „Schoonmaken kan geen kwaad. Hoe kom je eigenlijk aan dit ding?"

Als ik zeg waar het vandaan komt, legt ze het mes snel terug. Ook Sasja trekt een vies gezicht. Mijn vriendinnen hebben de hardnekkige gedachte dat de naam vlooienmarkt afgeleid is van de bewoners van alles wat oud is en op een dergelijke markt wordt verkocht. In de keuken hoor ik Lily haar handen wassen.

Later die middag, als mijn bestekset en ik weer thuis zijn, pak ik de zilverpoets, spreid wat kranten op mijn tafel uit en zoek een oude lap. Ik open de bovenste lade van de cassette, die de vorken bevat, en ga aan de slag om alles er weer als nieuw uit te laten zien.

Dit vind ik het leukste aan rommelmarkten – thuiskomen met iets ouds en er dan iets nieuws van proberen te maken. Bijna alles in mijn huiskamer is tweedehands, op de televisie en een paar bloempotten na. De bank vond ik bij een kringloopwinkeltje en nadat ik er zelf nieuwe bekleding voor gemaakt had, dacht iedereen dat hij van een of andere dure meubelzaak kwam, waar ik nog nooit van gehoord had omdat ik nou eenmaal niet in dat soort zaken kom. En mijn eettafel heb ik op de kop getikt op een rommelmarkt in Maastricht. Eigenhandig heb ik een paar plankjes vervangen en nu vormt hij alweer jaren het middelpunt van mijn huiskamer. Zelfs mijn meest kritische vrienden zijn inmiddels bereid toe te geven dat het een mooie tafel is, waar geen vlooienfamilie in huist en die in een woonblad niet zou misstaan.

Als alle vorken gepoetst zijn, leg ik ze stuk voor stuk terug in de cassette. Ik kan het niet laten even over de bekleding van de lade te aaien. Een koning, zei Lily, of een graaf. Er is niet veel fantasie voor nodig om te bedenken dat deze cassette in een groot landhuis in de kast heeft gestaan, bedoeld voor speciale gelegenheden. Als ik goed kon schrijven, zou ik een boek maken over de geschiedenis van mijn bestekset. Helaas kan ik niet goed schrijven.

Ik bekijk de buitenkant van de cassette eens goed. Toen ik hem kocht, zag ik al dat hij licht beschadigd is. Maar nu ik de beschadiging nog eens goed bekijk, valt me op dat er een patroon in zit. Door een laagje vuil is het alleen nogal moeilijk te ontcijferen.

Mijn hart klopt in mijn keel als ik naar de keuken loop en een doekje pak. Misschien heb ik wel iets heel moois in handen. Misschien heeft Lily gelijk en heb ik de bestekset van koning George I in huis gehaald. In een flits zie ik mezelf al staan bij Sotheby's. Wie biedt er meer dan 500.000?

Ik poets de buitenkant van de cassette op en de inkeping komt langzaam tevoorschijn. Ik kan een boom onderscheiden en iets wat waarschijnlijk letters zijn, maar ze zijn een beetje afgesleten. Toch is duidelijk te zien dat iemand iets heeft willen maken, een familiewapen bijvoorbeeld.

Ik onderzoek de cassette verder, maar vind alleen wat afgebroken stukjes hout. Dan open ik de drie laatjes om te zien of daar nog iets te vinden is, een kleine aanwijzing over de oorspronkelijke eigenaars. Ik haal alle vorken, die ik net met veel zorg heb neergelegd, er weer uit en speur de bekleding af. Niets.

Net als ik alles weer terug wil leggen, merk ik dat de bekleding niet vastzit. Ik kan ermee schuiven en met wat priegelwerk weet ik uiteindelijk de inleg los te krijgen. De la blijkt alleen leeg, zonder inkepingen of wapens.

Voor de zekerheid speur ik de randen af en maak ze schoon met allesreiniger. Maar ik ontdek niets. Blijkbaar is alleen de buitenkant voorzien van een wapen en dat zou kunnen betekenen dat de cassette toch minder waard is. Wie kan immers bewijzen dat de laatjes en het bestek bij de oorspronkelijke cassette horen? Ik heb vaak genoeg naar Tussen Kunst & Kitsch gekeken om te weten dat mijn cassette misschien net iets meer zal opbrengen dan wat ik ervoor heb betaald. Dus doe ik hem niet weg.

In het middelste laatje liggen de messen en omdat ik het niet kan laten, haal ik die er ook uit om de binnenkant van de la goed te kunnen bekijken. Opnieuw: niets. Daarom open ik de onderste la en haal alle lepels eruit. De inleg is vies en beschadigd en ik hoop dat ik iets kan vinden om hem te vervangen, want ik weet zeker dat iedereen die langskomt zal weigeren om een lepel te gebruiken die op deze vieze inleg heeft gelegen. En eerlijk gezegd kan zelfs ik dat wel begrijpen.

Ik pak de inleg eruit en wil het doekje met de allesreiniger pakken, maar tot mijn stomme verbazing is de la niet leeg. Mijn hand blijft in de lucht zweven als ik zie wat erin ligt. Het zijn oude brieven, in vergeelde enveloppen. Voorzichtig pak ik er eentje uit, terwijl mijn hart in mijn keel klopt. Dit is veel leuker dan een familiewapen – hier zit pas écht een verhaal in. Ik pak een van de brieven eruit, die geschreven is in een mooi, krullerig handschrift, en begin te lezen.

Lieve Elsbeth,

Luister alsjeblieft naar een advies van je bezorgde moeder. Ik weet dat wat ik ga zeggen, in gaat tegen alles wat je voelt, maar weet dat ik het goed bedoel. Jouw geluk is waar mijn leven om draait. Lees verder en leer wat ik te zeggen heb.

Reeds vele jaren hebben je vader en ik uitgekeken naar een echtgenoot die jou waard is – die voor je kan zorgen en je kan liefhebben, zodat jij de kans krijgt gelukkig te worden. Jij hebt ons echter laten weten zelf je keuze te willen bepalen en hoewel we nog altijd van mening zijn dat Roderick Stam of Johannes de Wildt, met wiens ouders we, zoals je weet, al jaren goed overweg kunnen, heel geschikte mannen voor je zouden zijn, hebben we uiteindelijk besloten jouw keuzevrijheid te respecteren. Maar het moet gezegd: tot op zekere hoogte. De berichten die ons nu bereiken maken echter dat ik me genoodzaakt voel je te wijzen op de dwalingen die je op het punt staat te begaan.

De brief is gestempeld op 12 februari 1947, maar gek genoeg had hij gisteren geschreven kunnen zijn door mijn moeder. Roderick Stam zou dan 'je weet wel, die jongen van Ada' zijn en Johannes de Wildt 'de zoon van de nicht van de buurvrouw', die zij ook nog nooit heeft ontmoet, maar die heel leuk klinkt, omdat hij rechten studeert en dat eigenlijk altijd heel geschikte jongens zijn. Volgens mijn moeder. Ik voel nu al mee met Elsbeth.

Ik begrijp dat iemand je het hoofd op hol heeft gebracht en dat je nu, in een vlaag van waanzin, denkt dat je met hem moet trouwen, maar lieve dochter, denk je eens in wat een toekomst met deze jongeman voor je kan betekenen! Zijn leven draait om avontuur, om reizen, om de wereld in trekken! Je zult hem kinderen schenken, om er vervolgens alleen voor te staan. En je moet maar afwachten wat hij binnenbrengt om zijn gezin te onderhouden. Je zult eindigen in de goot!

Ongelooflijk. Ik denk dat mijn moeder niet zo lang geleden exact dezelfde woorden gebruikte. Het is zestig jaar later, maar sommige denkbeelden veranderen nooit. Waarom maken moeders zich zorgen om het welzijn van niet-bestaande kleinkinderen? Is het een gen?

Kom alsjeblieft naar ons toe, dan kunnen we erover praten. Ik weet zeker dat Johannes en Roderick allebei bereid zijn je een tweede kans te geven en ik raad je met klem aan om een van hen te verkiezen boven die avonturier die je het hoofd op hol heeft gebracht.

Je liefhebbende moeder

3

„Nee, serieus, Sas, ik weet zeker dat ik iets op het spoor ben." Ik leun achterover in mijn bureaustoel en kauw op een potlood. „Die brieven zijn zo... zo écht."

„Hm."

„Zeg, luister je eigenlijk wel?"

„Ja."

„Wat zei ik dan als laatste?"

„Zeg, luister je eigenlijk wel?"

Ik snuif verontwaardigd. „Je hebt helemaal niet geluisterd. Die brieven zijn echt prachtig, Sas. Waarom neem je me niet serieus?"

Ik hoor Sasja zuchten. „Ik weet het niet, hoor," zegt ze. „Je hebt een stokoude bestekset gekocht en nu denk je ineens dat je een romance à la Romeo en Julia op het spoor bent. Hoe weet je zo zeker dat die brieven echt zijn?"

„Dat weet ik gewoon," zeg ik gekrenkt. „Wie gaat er nou zoiets namaken en het dan onder de lepels verstoppen?"

„Je hoort tegenwoordig genoeg rare dingen. Laat het rusten, Saskia. Trouwens, hoor jij niet aan het werk te zijn?"

Ik rek mijn nek genoeg om om het hoekje van de deur te kunnen kijken en zie Pepijn achter zijn computer zitten. Sjors, de andere helft van het duo Visser & Visser is met Emily de deur uit en de rest van mijn collega's zit buiten gehoorafstand.

„Ja, ik ben ook aan het werk," beweer ik, „maar ik wilde dit gewoon even met je delen. Maar blijkbaar vind je het minder interessant dan ik." Ik hoor geluiden op de achtergrond. „Wie zijn er trouwens bij jou? Is Peter er?"

„Er is niemand," antwoordt ze, maar het klinkt niet overtuigend. „Peter is aan het werk."

Dat klopt, want Peter werkt net als wij allemaal tijdens kantoortijden, terwijl Sasja vaak juist daarbuiten moet werken, omdat ze restaurantmanager is. Dat heeft als nadeel dat ze in het weekend meestal niet vrij is, maar het voordeel is dat ik haar op maandagochtend kan bellen om over mijn geweldige ontdekking te vertellen.

„Kijk je Gooische Vrouwen?"

„Hm," is het antwoord, dat zowel ja als nee kan betekenen. Waarschijnlijk betekent het ja, want Sasja heeft alle seizoenen op dvd en kan er geen genoeg van krijgen.

„Weet je, ik ga echt uitzoeken hoe het zit met de herkomst van die brieven," ga ik nukkig door. „Ik weet zeker dat er iets moois uit komt. Misschien komt mijn bestekset wel uit een ver land en is hij als cadeau meegebracht voor een prinses. Ik heb iets bijzonders in handen, Sas. Dat dacht ik al, maar nu weet ik het zeker."

„Als jij er blij van wordt, moet je er zeker mee doorgaan," zegt Sasja, maar ik weet dat ze eigenlijk niet luistert.

Er klinken voetstappen op de gang. „Shit, ik moet ophangen," zeg ik, waarna ik razendsnel mijn mobiel in mijn tas laat vallen en rechtop ga zitten. Ik druk wat toetsen in, zonder te weten welke.

Pepijn steekt zijn hoofd om de deur. „Cappu?"

Ik kijk hem aan met een, hoop ik, verstrooide blik. „Hè? Wat zei je? Ik was zo verdiept in die nieuwe opdracht."

Pepijn trekt een gezicht. „Pranks?"

„Ja." Laat hem alsjeblieft niet vragen hoever ik al ben, want ik heb na de presentatie van vrijdag nog niets gedaan om daadwerkelijk een campagne op te zetten.

Gelukkig loopt Pepijn weg en zet hij even later zonder

iets te zeggen een cappuccino voor me neer. Ik knik en doe alsof ik het te druk heb om van mijn scherm op te kijken.

Als Pepijn weer achter zijn computer zit, zoek ik in mijn tas naar de tweede brief. Die vind ik zo mogelijk nog intrigerender dan de eerste. Ik heb hem gisteren al minstens twintig keer gelezen, maar mijn ogen vliegen opnieuw over de regels.

Allerliefste Elsbeth,

Ik wilde dat ik je kon vertellen hoezeer ik je mis, maar dat kan ik niet. Omdat er geen woorden voor bestaan. Ik wil het je laten voelen, maar met een bootreis van zes weken en duizenden kilometers tussen ons in weet ik niet hoe. Daarom kies ik toch maar voor deze brief.

Ik hoop dat het goed met je gaat. Hoe is het met je moeder?

En je vader, hopelijk heeft hij minder last van zijn rug. Als ik terug ben in Nederland, wil ik ze graag een keer ontmoeten.

Nou, hij liever dan ik.

Maar we moeten nog even wachten. Ik tel de dagen, nee de uren, tot ik terug mag, maar dat duurt nog zeven maanden. De tijd gaat langzaam, veel langzamer dan ik zou willen, en jouw foto begint te vergelen. Maar je beeld zit in mijn hoofd en dat is genoeg. Ik denk elke dag, elke minuut aan je, Elsbeth. Blijf alsjeblieft op me wachten. Ik houd van je.

Je Arend.

Dat vind ik het mooiste. 'Je Arend' en dan die punt. Ik kan me de man helemaal voorstellen – hij is groot, robuust, maar met de meest tedere handen die je ooit hebt gezien. En hij is lief, oneindig veel liever dan elke man die ik ooit heb ontmoet. Maar dat laat hij alleen blijken aan Elsbeth, niet aan andere vrouwen. Oh, en galant. Dat is hij natuurlijk ook. Ik weet zeker dat ze heel gelukkig zijn geworden, Elsbeth en Arend.

Althans, dat weet ik bijna zeker.

Ik vermoed het.

Eigenlijk weet ik niets. Misschien werd Arend wel gedood in dat verre land van hem, of kwam hij pas terug toen Elsbeth al lang en breed getrouwd was met Johannes of Roderick. Of had hij een ander gevonden, aan wie hij zijn prachtige brieven kon schrijven.

Ik moet het weten.

Op de envelop staat een adres, in Amsterdam-Zuid. Het lijkt me niet waarschijnlijk dat Elsbeth daar nog steeds woont, maar ik moet ergens beginnen. Ik ga er naartoe zodra ik kan, neem ik me voor. De Arend die zich op mijn netvlies heeft gevormd, knikt goedkeurend. Dit verhaal moet uitgezocht worden.

Ik schrik me een hoedje als de telefoon op mijn bureau gaat. Het is Arend, schiet het even door me heen, maar dan roep ik mezelf streng tot de orde. Ik ben hier wel aan het werk en het wordt tijd dat ik wat ga doen. Ik schraap mijn keel, zet mijn professionele gezicht op en neem op.

„Dat doe je niet." Lily prikt met een vork vol lasagne in mijn richting. „Echt, Saskia, je kunt ook te ver gaan."

„Ik ga niet te ver," protesteer ik. „Trouwens, wat heb jij ineens? Ik had van jou toch wel wat steun verwacht."

„Hoezo?" Ze trekt haar wenkbrauwen op.

„Jij zou als geen ander moeten weten hoeveel moeite een mooi verhaal waard is. Nou, als dit echt iets blijkt te zijn, mag je er mooi geen scenario van maken." Ik kijk beledigd de andere kant op en even zeggen we allebei niets.

„Ik bedoel het niet gemeen," verbreekt Lily dan de stilte. „Ik denk alleen dat je je tijd verdoet."

„Ik denk van niet."

„Dan moet je het doen." Ze haalt haar schouders op. „Ik wil je alleen maar waarschuwen. Verheug je er nou niet te veel op, dan valt het straks alleen maar tegen."

„Je lijkt Sasja wel."

„Sorry, maar ik denk dat ze deze keer gelijk heeft. Maar als jij hiermee wilt doorgaan, moet je het vooral doen. Misschien heb je wel gelijk. In dat geval ben ik een scenarioschrijver van niets, want dan herken ik een prachtig verhaal niet als het voor mijn voeten wordt geworpen."

Ik glimlach. „Oké, je mag het gebruiken voor een van je verhalen. Als ik maar groot op de aftiteling kom."

„Beloofd," zegt Lily en ze heft haar glas naar me. „Wat ga je nu doen?"

„Op zoek naar Elsbeth, of haar familie. Ik ga naar het adres dat op de envelop staat." Ik laat het haar zien. „Ik denk dat ik zaterdag ga. Misschien dat Elsbeth er nog woont."

Lily trekt een gezicht naar me, dat zoiets betekent als 'droom lekker verder' en ik weet dat ze gelijk heeft. Je hebt meer kans dat je in een hooiberg net de speld aantreft waarnaar je op zoek was.

„Hoe is het met Sebas?" verander ik van onderwerp. Lily is al eeuwen met hem, maar saai wordt het nooit. Ze weten hun relatie spannend te houden door minstens drie keer per week knallende ruzie te maken om het net zo vaak weer goed te maken. Blijkbaar is het hét recept voor een goede relatie, want ik geloof niet dat ze ooit serieus hebben overwogen om uit elkaar te gaan. Maar dat neemt niet weg dat Lily altijd bereid is hun laatste ruzie uit de doeken te doen.

Lily rolt met haar ogen. „Soms vraag ik me af op welke planeet die jongen is geboren. Gisteren hadden we ruzie omdat hij voetbal wilde kijken, terwijl Pretty Woman werd uitgezonden. Snap jij dat nou?"

„Jij hebt Pretty Woman toch op dvd?"

„Nee, op video. Ik heb alleen geen video meer. Maar daar gaat het ook niet om." Lily neemt een grote slok wijn. „Ik wilde de film zien, maar dat mocht niet van Sebas, omdat ik hem al minstens tien keer heb gezien. Wat is er mis mee als je een film meerdere keren kijkt? Daar wordt hij toch niet minder leuk van? En trouwens, het was helemaal geen Nederlands voetbal, maar twee Engelse clubs die tegen elkaar speelden."

„Lekker belangrijk," beaam ik.

„Precies. Uiteindelijk ben ik Pretty Woman maar bij de buurvrouw gaan kijken."

„Gelijk heb je."

„Ja, hè? Nou, dat vond ik ook, maar toen was Sebas weer geïrriteerd dat ik weg was gegaan. Het is ook nooit goed bij hem." Ze praat verder, maar ik luister niet meer. Mijn blik wordt alweer getrokken door de bestekcassette, die inmiddels op een kastje staat. Ik strijk met mijn vinger over een oude, vergeelde foto die ik in de envelop van de brief van Arend heb gevonden. Er staan twee mensen op, die gelukzalig in de camera kijken. Ik denk dat Elsbeth hem erin heeft gestopt, omdat het onlogisch is dat het Arend zelf is geweest.

Ik heb inmiddels de stempel op de envelop ontcijferd en

weet dat Arend in Jakarta zat. En terwijl ik bezig had moeten zijn de melige Pranks in de markt te zetten, heb ik op internet alles over Nederlands-Indië opgezocht. Jammer genoeg leverde de zoekopdracht Nederlands-Indië en Arend niets op, net zomin als Arend en Elsbeth. Hoewel dat ook wel weer fijn is, want dat betekent dat het verhaal nog onontdekt is.

„Maar goed, nu is het weer goed," besluit Lily. „Heb je nog wijn?"

Ik schenk haar bij en probeer iets zinnigs te zeggen in antwoord op haar relaas, maar ik kan niets verzinnen. Gelukkig is ze alweer over iets anders begonnen. Ik knik maar wat, terwijl mijn blik die van een enigszins vergeelde Elsbeth ontmoet.

Later die avond belt mijn moeder. Ik zie haar nummer op het schermpje staan en omdat ik de vorige drie keer al heb gedaan alsof ik niet thuis was, kom ik er niet onderuit om op te nemen.

„Hè hè," zegt ze meteen. „Ik dacht al dat je verhuisd was. Je bent er nooit."

„Ik werk." Ik kijk op de klok. Over een kwartier verzin ik een stroomstoring en dan mag ik ophangen van mezelf.

„Werk je tegenwoordig ook in het weekend?"

„Nee, toen was ik naar een rommelmarkt." Op het moment dat ik het zeg, weet ik dat ik een kapitale fout heb gemaakt. Het is een beetje als de bal voor een open doel leggen en hopen dat Cruyff mist.

„Hè, bah!" roept mijn moeder uit. Haar smetvrees begint op te spelen, zelfs over de telefoon. „Heb je wel Dettol in huis? Ik neem aan dat je niets hebt gekocht."

„Toch wel," zeg ik. Als ik dan toch een fout heb gemaakt, kan ik het maar beter meteen helemaal uitspelen. Ik heb nog steeds de hoop dat mijn moeder vroeg of laat zal inzien dat rommelmarkten niet vies zijn, hoewel ik ook wel weet dat het niet gaat gebeuren.

„Je weet niet wat je in huis haalt met die oude rommel," begint ze haar preek. „Er kunnen wel allerlei nare ziektes aan kleven, zoals… Nou ja, ik kom er even niet op, maar ze zijn ongetwijfeld heel vervelend. En trouwens, wat is er mis mee om gewoon naar een winkel te gaan en nieuwe spullen te kopen? Heb je soms geen geld, is dat het? Dan moet je het gewoon zeggen, Sas, want je kunt altijd bij je vader en mij aankloppen. Dat is heus niet erg, hoor. Ik geef mijn dochter met alle liefde wat geld als dat betekent dat ze niet tussen de oude spullen hoeft te leven."

„Het gaat niet om het geld, mam," zeg ik vermoeid. „Dat heb ik al vaker gezegd. Ik vind het gewoon leuk."

„Van wie heb je dat nou toch?" peinst mijn moeder. „Je vader en ik zijn helemaal niet zo. Misschien heb je het van oma, die had ook veel oude spullen, maar die had ze ooit wel nieuw gekocht."

„Het is geen ziekte, hoor," probeer ik, maar mijn moeder negeert me. Ze belt ook niet om te horen hoe het met mij gaat, al had ik ooit wel die illusie. Het gaat erom dat ik haar aanhoor, dan een paar keer 'ja' zeg op wat verplichte vragen en vervolgens ophang. Op dat laatste verheug ik me al, maar ik moet nog negen minuten wachten van mezelf.

„Hoe is het met papa?" vraag ik, maar ik krijg geen antwoord, omdat mijn moeder midden in een verhaal over buurvrouw Annie zit en dat blijkbaar heel belangrijk vindt. Mij interesseert het weinig. Bij buurvrouw Annie gingen we vroeger altijd belletje lellen en hoewel ik het terugkijkend wel een beetje zielig vind dat ze telkens met haar kunstknie uit haar stoel moest opstaan, was ze toen al zo'n verzuurde oude tang dat ze het verdiende.

Exact negen minuten later onderbreek ik mijn moeder: „Shit, mam, volgens mij valt de stroom uit. Ik moet echt even een paar kaarsen gaan aansteken. Sorry. Doei!" Ik hang op en haal diep adem. Dat hebben we ook weer gehad. Misschien moet ik binnenkort weer eens bij haar langsgaan, maar die gedachte schuif ik nog even voor me uit. Het laatste waar ik zin in heb is foto's kijken om te zien hoe leuk mijn vroegere buurjongetjes zijn opgedroogd, zodat ik ter plekke 'ja' kan zeggen op een door mijn moeder doorgegeven aanzoek waar de buurjongetjes in kwesties waarschijnlijk ook geen weet van hebben.

Ik gooi de telefoon in een hoek en pak de afstandsbediening. Maar ik zap zonder iets te zien langs de kanalen, terwijl mijn gedachten opnieuw afdwalen naar Elsbeth en haar grote liefde.

4

„Ik heb dit adres van een vriend gekregen," oefen ik geluidloos. „Zijn moeder heeft hier vroeger gewoond en nu ze is overleden, is hij op zoek gegaan naar informatie over zijn familie, die hij nooit heeft gekend."

Ik vraag me af of ik er zelf in zou trappen als iemand met dit verhaal bij me aanbelde. Als het een man was, zou ik waarschijnlijk denken dat hij me wilde verkrachten. Maar gelukkig ben ik een vrouw.

Ik beweeg mijn vinger naar de bel, maar aarzel toch nog. Wat als hier een directe nazaat van Elsbeth blijkt te wonen? Dan sta ik mooi voor gek met mijn verhaal. Het is een doorzichtige smoes, dat weet ik, maar ik kan moeilijk met het echte verhaal aan komen zetten. Dan word ik zeker uitgelachen.

Ik haal diep adem, recht mijn rug en dwing mezelf uiteindelijk om aan te bellen. Trillend van de zenuwen wacht ik af. Elke seconde lijkt een uur te duren.

Ik heb met alles rekening gehouden, maar gek genoeg is de mogelijkheid dat er niemand thuis is, nog niet in me opgekomen. Toch ziet het ernaar uit dat dat wel het geval is. Ik kan natuurlijk later terugkomen, maar ik weet niet of ik dat durf. Vandaag hierheen gaan kostte al heel wat meer lef dan ik eigenlijk heb, maar de gedachte aan Elsbeth en haar prachtige liefdesgeschiedenis maakt dat ik toch ben gegaan en zelfs heb aangebeld.

Ik druk nog een keer op de bel en doe een stap naar achteren. De gordijnen zijn gesloten op eenhoog. Het is halftwaalf op zaterdagochtend. Misschien slapen ze nog.

Na een paar minuten ontwaar ik wat beweging achter de voordeur. Het licht in de gang springt aan en er wordt aan de deur gerommeld. Een jongeman steekt zijn hoofd om de hoek en kijkt me aan met een mengeling van irritatie en ongeduld. „Ja?"

Aan zijn warrige kapsel en versleten badjas lees ik af dat ik hem wakker heb gemaakt. „Sorry dat ik stoor," begin ik, „maar ik ben op zoek naar ene Elsbeth."

De jongen trekt zijn wenkbrauwen op. „Woont hier niet."

„Nee," zeg ik snel, als hij de deur weer wil sluiten. „Dat weet ik. Maar ik zoek informatie over haar. Het is voor een vriend van mij, de kleinzoon van mevrouw. Zijn moeder is overleden en ik... Nou ja, laat maar." Aan zijn uitdrukking zie ik dat het de jongeman geen moer interesseert waarom ik hier ben. Hij vraagt zich alleen maar af hoelang hij nog moet wachten voor hij weer mag slapen. De alcoholwalm verraadt dat hij na een lange avond nog maar weinig nachtrust heeft gehad.

„En?" vraagt hij.

„Weet je misschien wie hier eerder heeft gewoond? Ik bedoel, voor jullie hier kwamen?"

„Nee."

„Weet je wie het wel weet?"

„Nee."

Ik bijt zenuwachtig op mijn lip. „Mag ik je mijn nummer geven, zodat je me kunt bellen als je iets te binnen schiet?"

Hij steekt zijn hand uit, om er vanaf te zijn. Ik krabbel mijn naam en mobiele nummer op een stukje papier en overhandig hem dat. „Bedankt hè?" roep ik nog, maar hij heeft de deur al dicht geknald.

Lusteloos duw ik mijn karretje door de Albert Heijn, zo nu en dan gedachteloos spullen inladend. Ik heb nergens zin in, maar ik zal straks toch iets moeten eten en daarom haal ik voedingsmiddelen in huis waarvan ik weet dat ik ze in het verleden lekker heb gevonden.

Bij elke hoek duik ik een beetje weg in de kraag van mijn jas, bang om iemand tegen te komen die toevallig getuige is geweest van mijn afgang eerder vandaag. Hoe heb ik kunnen denken dat ik op het oude adres van Elsbeth iemand zou aantreffen die mij ook maar één millimeter verder kon helpen? Als ik iets beter had nagedacht, was ik zelf vast tot de conclusie gekomen dat het onbegonnen werk was om Elsbeth, of iemand die meer over haar weet, te vinden en dat de kans dat ik mezelf onsterfelijk belachelijk zou maken vele malen groter was dan de kans dat deze zoektocht zin zou hebben. Maar ik heb niet langer nagedacht en dat heeft ertoe geleid dat een of andere dronken student nu waarschijnlijk denkt dat ik een uit de kliniek ontsnapte schizofreen ben, die iets te veel heeft geluisterd naar de stemmen in haar hoofd.

Ik zucht diep en pak een pak spaghetti. Wat een blamage.

Ik merk pas dat mijn telefoon gaat als mensen in mijn omgeving zenuwachtig om zich heen beginnen te kijken. Met een rood hoofd zoek ik in mijn tas naar mijn mobieltje en net voordat het op de voicemail springt, neem ik op. „Hé, Sas."

„Hé, Sas," herhaalt ze. Ons ritueel. „Heb je tijd?"

„Ik sta in de Albert Heijn, dus ja, ik heb wel even. Als jij me eerst even vertelt wat ik vanavond moet eten."

„Komt dat even goed uit," zegt mijn vriendin opgewekt, „daar bel ik over. Heb je zin om vanavond bij Bart en mij te komen eten? Ik heb voor de tweede keer op rij een zaterdagavond vrij en omdat dat gerust een wonder mag worden genoemd, vier ik het met een etentje."

„Wie komen er?"
„Bart, Lily, Sebastiaan, Peter en jij. Toch?"
„Natuurlijk," zeg ik verheugd. „Misschien dat een etentje en een heleboel wijn me kan helpen mijn blamage van vanochtend te vergeten."
„Blamage?" vraagt Sasja met een stem die druipt van nieuwsgierigheid. „Vertel!"
Ik moet lachen als ik me haar gezicht voorstel wanneer ze het hele verhaal zal horen. „Nee," zeg ik streng, „jullie horen het vanavond wel. Uurtje of vijf bij jullie?"
„Ja, en Sas?"
„Hm?" zeg ik, terwijl ik een reep Toblerone in mijn karretje mik.
„Trek iets leuks aan. Iets sexy's, zal ik maar zeggen."
Ze hangt op, midden door mijn protest heen. Iets sexy's? Dat kan maar één ding betekenen: Sasja heeft weer eens iets geregeld. Eens in de zoveel tijd heeft ze een vrijgezel in de aanbieding en ongevraagd heb ik altijd de eerste keus. Ik zucht en laat een tweede Toblerone in mijn karretje glijden. Iets in mij wil het liefst afzeggen, maar het alternatief is net even onaantrekkelijker: de hele avond alleen thuis zitten, denkend over mijn belachelijke actie van vanochtend. Dan kan ik maar beter proberen het vanavond gezellig te hebben om vervolgens Sasja's casanova van me af te schudden.
Een uurtje later sta ik thuis voor mijn kledingkast. Ondanks het feit dat ik ervan uitga dat de vrijgezel van de dag weinig soeps is, wil ik niet als een oude zwabber voor de dag komen. Ik twijfel tussen een gebloemd jurkje met een V-hals en een zwarte enkellange jurk met goudkleurige stiksels. Uiteindelijk ga ik voor de bloemen, omdat ik me de laatste keer dat ik mijn zwarte jurk droeg, op een

begrafenis bevond en die associatie maar niet wil verdwijnen.

Ik knik mezelf goedkeurend toe in de spiegel als ik even later mijn jurk met bloemen aanheb. Ik heb een grondige hekel aan hardlopen, maar ik ben blij dat ik er zo nu en dan door Sasja toe word gedwongen, zodat ik er met de juiste kleren best appetijtelijk uitzie. Zou ik niet sporten, dan zou ik ongemerkt uitdijen tot maten die ze bij een gewone kledingwinkel niet hebben en ik weet dat ik niet genoeg discipline heb om er zelf iets aan te doen. Eten beschouw ik als een gekoesterde hobby.

Ik steek tevreden een stuk Toblerone in mijn mond en verdwijn naar de badkamer om mijn haar te fatsoeneren. Zoals altijd is er een heel klein sprankje hoop dat de man die Sasja voor me heeft geregeld aan mijn uitvoerige eisenpakket voldoet – wat onwaarschijnlijk is, want ik verwacht zelfs volgens mijn veeleisende vriendinnen belachelijk veel – en dan moet ik natuurlijk wel voorbereid zijn. Ik ben bereid voor een meer dan perfecte man mijn nieuwe principe dat ik niet meer aan relaties doe, aan de kant te zetten. Wat het misschien tot een tamelijk zwak principe maakt, maar ik moet erbij zeggen dat het niet waarschijnlijk is dat een man tegelijkertijd blond en donkerharig is – afhankelijk van mijn bui – en daarnaast grappig, bescheiden, carrièregericht, een familiemens, ambitieus maar niet te, lief maar geen watje, goed in bed, creatief, opofferingsgezind en zelfverzekerd is. Er worden er gewoon niet zoveel gemaakt die aan alle eisen voldoen.

Ik kneed mousse door mijn haar, stift mijn lippen en doe wat mascara op. Daarna loop ik door een wolk van mijn favoriete parfum – geleerd van Estée Lauder – en keur het eindresultaat in de spiegel. Ik kan ermee door, maar in geval van nood kan ik er ook heel snel heel onaantrekkelijk uitzien, zodat het niet te veel moeite zal kosten Sasja's *blind date* te ontmoedigen, mocht zijn interesse voor mij groter zijn dan andersom.

Tien minuten later keurt Sasja me met tot spleetjes geknepen ogen. „Niet slecht," oordeelt ze, waarna ze me naar binnen trekt en de deur sluit. „Ik weet zeker dat Bas onder de indruk zal zijn. Hij is er al en hij wacht met spanning op je. Ik heb hem al even verteld hoe leuk je bent."

Ze opent de deur naar de huiskamer en laat me voorgaan. Ik zie maar één gezicht dat ik niet ken, dus dat zal de fameuze Bas dan wel zijn. Ik verstar als onze blikken elkaar ontmoeten.

Hij is zo níet mijn type dat ik me één milliseconde lang afvraag of dit soms een heel slechte grap is. Maar dan komt hij overeind om me een hand te geven en krijg ik een por in mijn rug van Sasja waardoor ik ongewild een stap naar voren doe.

„Hoi," stamel ik, wat hij natuurlijk helemaal verkeerd opvat. Overmoedig pakt hij mijn hand om er een kus op te geven. Ik trek hem snel terug en veeg de rug onopvallend aan mijn zoom af. Sasja houdt nog steeds haar hand op mijn rug en moet mijn huivering voelen, maar ze lacht vrolijk en zegt: „Sas, dit is Bas. Bas, dit is Sas. En dat rijmt. Als jullie niet voor elkaar zijn gemaakt, dan weet ik het ook niet meer. Sas en Bas, ga lekker zitten, dan haal ik wat te drinken."

Ik kom bij mijn positieven als ik besef dat Sasja van plan is me met deze *creep* in de kamer achter te laten. „Ik eh... Ik pak het zelf wel," roep ik, waarna ik naar de keuken vlucht. Ik sluit de deur en zet Sasja er tegenaan, zodat ze me wel aan móet kijken. „Waar slaat dit op?"

„Ehm, hoezo?" vraagt ze.
„Waar heb je hém vandaan? En hoe heb je kunnen denken dat het een goed idee was om ons aan elkaar voor te stellen?" Ik val op brede, gespierde types die iets mysterieus over zich hebben en tegelijkertijd sociaal en boeiend zijn. In de kamer zit een magere lat van twee meter tien met een vlassig baardje en een gezichtsuitdrukking die verraadt dat hij noch sociaal noch boeiend is.
Sasja trekt haar wenkbrauwen op. „Je vindt hem niet leuk?"
Ik rol met mijn ogen en laat haar los. „Hoe lang ken je me nu? Hij is totaal mijn type niet!"
„Je moet hem een kans geven. Jij oordeelt altijd zo snel."
„Ik oordeel niet snel, ik heb gewoon heel veel mensenkennis," merk ik op.
„Oké, oké." Sasja steekt haar handen in de lucht en gaat op het aanrecht zitten. „Ik geef toe dat het qua uiterlijk beter kan, maar je kent hem nog niet. Hij is echt leuk, Sas. Grappig, ook. Geef hem een kans."
Ik trek een gezicht en was mijn hand met veel zeep. „Ik kom er niet onderuit om deze avond met hem door te brengen, maar ik kan je nu al vertellen dat dit onze eerste en onze laatste ontmoeting is."
Sasja kijkt me veelzeggend aan. „Als je hem beter kent, zeg je dat niet meer," voorspelt ze.
Ik wil nog protesteren, maar ze is alweer de kamer in gelopen. Er zit voor mij niets anders op dan haar te volgen. Ik gris nog snel een fles witte wijn mee.

„En daarom wil ik graag een toost uitbrengen op al mijn lieve vrienden." Sasja staat aan het hoofd van de tafel en doet weer eens pathetisch, zoals we van haar gewend zijn. Ze heft haar halflege glas en houdt het in de lucht.

„Proost," zeggen we in koor en ik neem snel een slok. Bas zit naast me en het glas dat hij tegen het mijne had willen klinken, blijft een beetje lullig in de lucht hangen.

Jammer dan.

Het is duidelijk dat Sasja hem heel wat heeft beloofd als het op mij aankomt, want hij is niet bij me weg te slaan. Bij het aan tafel gaan heb ik nog zo geprobeerd hem te ontwijken, maar het is hem toch gelukt de plek naast mij te bemachtigen. En elke keer als ik met iemand een gesprek aanknoop, bemoeit hij zich ermee. Het begint irritant te worden, maar ik heb mezelf en Sasja beloofd dat ik het vanavond wel met hem zal uitzingen. Alleen ben ik erop bedacht dat ik elk moment zijn hand op mijn knie kan voelen en als dat gebeurt, vlieg ik hem aan, denk ik.

„Proost," zegt hij in mijn oor en ik knik stug.

„Jij ook."

„Dat kan niet."

Ik kijk geërgerd opzij. „Wat kan niet?"

„Je kunt niet zeggen 'jij ook'. Het is niet zoals met 'gefeliciteerd' of 'gezondheid'. Je moet ook 'proost' zeggen."

„Ik bepaal zelf wel wat ik zeg."

„Oh." Bas kijkt gekrenkt, maar ik voel me niet schuldig.

„Vertel eens wat meer over jezelf," gooit hij het dan over een andere boeg. Ik kijk om me heen of er misschien iemand is met wie ik een gesprek kan aanknopen, maar iedereen zit gezellig te praten en nergens kom ik ertussen. Er zit dus niets anders op dan of stil voor me uit gaan zitten kijken of het gevreesde gesprek met Bas te moeten aangaan. Hij zit er al helemaal klaar voor, zie ik.

„Tja, wat zal ik zeggen?" begin ik. „Ik werk bij een reclamebureau."

Hij knikt. „Interessant. En wat doe je daar?"

„Reclames maken."

„Aha." Hij plukt aan zijn beginnende baardje en broedt op een volgende vraag.

„En jij?" vraag ik onwillig. „Wat voor werk doe je?"

„Ik werk in de horeca, net als Sasja. Ik ben kok."

„Hm."

„Ja."

Sociaal? Boeiend? Deze jongen voldoet echt aan geen van mijn eisen. Ik maak een mentale memo voor mezelf dat ik Sasja hiervoor na deze avond moet laten boeten. Het is dat ze Peter heeft, anders liet ik haar voor straf een afspraakje met Bas maken.

„En verder?" vraag ik, hoewel het me geen moer interesseert. „Doe je verder nog iets?"

„Ja, ik heb een hobby."

O jee, nu zullen we het krijgen. Bas doet vast aan kleiduif schieten, modeltreintjes bouwen of sjoelen. Of nee, online gamen, daar is hij echt het type voor!

„En die is?" vraag ik, me schrap zettend voor het antwoord. Zal ik lachen of hard weglopen?

„Rommelmarkten," zegt Bas dan en ik staar hem met open mond aan.

„Wat?"

„Rommelmarkten." Hij vermijdt mijn blik en staart naar zijn handen. „Je zult het wel stom vinden, maar dat is nou eenmaal mijn hobby."

„Nee!" zeg ik snel. „Nee, ik vind het helemaal niet stom. Sterker nog, ik begrijp het heel goed. Het is bijna niet te geloven, maar rommelmarkten zijn ook mijn hobby."

Ineens zie ik Bas in een heel ander daglicht. Dit is natuurlijk wat Sasja bedoelde toen ze zei dat ik hem eerst beter moest leren kennen. Ineens is zijn uiterlijk zó onbelangrijk.

Ik draai me naar hem toe en kijk hem aan met, eindelijk, een geïnteresseerde blik in mijn ogen. Hij merkt de verandering en ontspant een beetje. „Vertel eens," zeg ik, „waarom vind je rommelmarkten zo leuk?"

„Ik kan het niet uitleggen. Het is eigenlijk alles: de sfeer, de spullen, de mensen. Ik weet best dat anderen het verschrikkelijk fout vinden, maar ik kan er werkelijk uren rondlopen. En als ik mooie oude spullen vind, dan koop ik ze en dan knap ik ze thuis op. Je zou mijn huis eens moeten zien!"

„Ik weet er alles van," lach ik. „Andere mensen vinden het vaak geweldig, tot ze horen dat het van de rommelmarkt komt. Dan vinden ze het vies." Ik buig een beetje naar hem toe. „Sasja ook."

„Ik weet wat je bedoelt," knikt Bas. „Gelukkig ben jij niet zo. Jij lijkt me iemand die dingen meteen op hun waarde weet te schatten. Iemand die door een afschrikwekkende buitenkant heen kijkt en ziet wat voor parel eronder verborgen zit."

Ik neem snel een grote slok wijn. Hij moest eens weten.

„Zeg eens," ga ik verder, zijn opmerking negerend, „ben jij wel eens naar de rommelmarkt van Antwerpen geweest?"

Bas rolt met zijn ogen. „Natuurlijk! Dat is voor mij de markt der markten! Ik heb er laatst nog een schitterende oude staartklok op de kop getikt. Negentig euro, geen geld!"

„Ik heb een geweldige bestekset gevonden," vertel ik, blij dat ik eindelijk eens met iemand kan praten die mijn liefde voor rommelmarkten begrijpt. „En weet je, ik denk dat er een heel verhaal achter zit."

„Oh ja?" Bas kijkt me doordringend aan. „Wat voor verhaal?"

5

Achteraf kan ik niet meer precies vertellen hoe het zover heeft kunnen komen. Het gebeurde gewoon, is de enige verklaring die ik kan verzinnen. Dat, en een belachelijk grote hoeveelheid chardonnay. Nu de ochtend is aangebroken weet ik werkelijk niet wat me bezielde en het enige dat door mijn hoofd gaat is: hoe krijg ik hem weg?

Het vlassige baardje is aangegroeid tot wat roodachtige, iets te lange haren, wat hem bepaald niet aantrekkelijker maakt. Hij ligt op zijn rug met zijn mond een beetje open en de gedachte alleen al om hem te moeten zoenen, maakt me misselijk. Een aantal uur geleden had ik er blijkbaar wat minder moeite mee en nu kan ik me wel voor mijn kop slaan. Ik laat me heel zachtjes uit bed glijden en sluip naar de woonkamer. Daar bel ik degene die dit ongetwijfeld talloze malen heeft meegemaakt en die me dan ook van een goed advies kan voorzien.

„Hé," neemt Bart opgewekt zijn telefoon op. „Hoe was het?"

„Hoe was wat?" vraag ik wantrouwend.

„Nou gewoon. Het." Er klinkt iets veel te geamuseerds door in zijn stem. „Kom op, je weet best waar ik het over heb. Gisteravond had je veel moeite om in gezelschap van Bas af te blijven. En als ik me niet vergis, hebben jullie samen ons huis verlaten."

„Had me tegengehouden," brom ik. „Waarom heb je me niet gewaarschuwd? Nu ligt hij in mijn bed en ik heb geen idee hoe ik hem weg moet krijgen. Straks wil hij de hele dag blijven!"

„En dat wil jij niet," concludeert Bart. „Waarom ben je dan niet naar zíjn huis gegaan? Dan had je nu gewoon weg kunnen lopen. Bedankt en tot ziens!"

„Ik kon niet helder denken gisteren," verdedig ik mezelf. „Als ik dat wel had gekund, dan was hij hier helemaal niet geweest. Maar het was gewoon... Het kwam door..." Ik durf het niet te zeggen, omdat het achteraf echt te suf voor woorden is.

„Door zijn verhaal over rommelmarkten," maakt Bart mijn zin graag voor me af. „Ik wil niet stoken, hoor, maar ik vraag me af of Bas ooit wel eens op een rommelmarkt is geweest."

„Hoe bedoel je?"

„Zoals ik het zeg: ik denk niet dat hij er vaak komt. Maar omdat hij van Sasja heeft gehoord hoe gek jij erop bent, heeft hij het handig gebruikt om je te versieren. Je moet toegeven dat het slim van hem was, want het heeft in zijn voordeel uitgepakt."

Ik ben te verbluft om iets te zeggen. Het enige, werkelijk het enige, dat ik leuk vond aan Bas, blijkt nu ook nog eens verzonnen te zijn. „Bedankt," snuif ik en ik hang op. Ineens is het helemaal niet moeilijk meer om Bas eruit te zetten. Ik smijt mijn telefoon op tafel en been naar de slaapkamer. Daar zet ik het raam wagenwijd open en trek de dekens van Bas af. Hij opent zijn ogen en kijkt me wat verdwaasd aan. „Watisser?" mompelt hij.

„Eruit," is mijn antwoord. „Ik eis dat je nu vertrekt."

Hij fronst zijn wenkbrauwen, maar blijft gewoon liggen. „Wat is er ineens met jou aan de hand? Het lijkt wel alsof je boos op me bent."

„Dat ben ik ook, leugenaar. Je hebt me in de val gelokt." Oké, dat is misschien wat overdreven, maar een beetje drama kan geen kwaad.

Bas komt half overeind. „Waar heb je het in vredesnaam over? Je doet alsof ik je verkracht heb." Hij glimlacht een beetje. „Ik kreeg niet de indruk dat je het niet wilde."

Mijn wangen kleuren rood als ik denk aan gisteravond. Snel zet ik de gedachte van me af. „Waar het om gaat, is dat jij helemaal niet van rommelmarkten houdt. Dat zei je alleen maar om mij te paaien en ik houd er niet van om onder valse voorwendselen te worden meegelokt." Ik ben erg goed, al zeg ik het zelf. Wat ik zeg slaat misschien nergens op, maar Bas weet niet wat hij moet antwoorden. Uiteindelijk zwaait hij zijn benen over de rand van het bed en staat op.

Ik draai me om en wacht tot hij zijn kleren heeft aangetrokken. Ik hoor hem zacht mopperen, maar ik heb geen zin om te reageren. Ik ben allang blij dat hij vertrekt en dat het ernaar uitziet dat ik deze schaamtevolle bladzij uit mijn leven snel kan omslaan. Als Bas langs me heen loopt en ik hem weer zie zoals hij er gisteravond uitzag, kan ik zelfs met de allerbeste wil niet ontdekken wat ik leuk aan hem gevonden moet hebben. Het zal dan toch zijn zogenaamde liefde voor rommelmarkten zijn geweest die mijn vertroebelde hoofd op hol heeft gebracht en ik neem me ter plekke voor om nooit meer te drinken.

Later die middag, als ik zorgvuldig al het beddengoed heb uitgewassen en de slaapkamer drie keer heb schoongemaakt, gaat mijn mobiel. Bas, denk ik meteen, maar dan dringt het tot me door dat ik gelukkig zo snugger ben geweest om hem mijn nummer niet te geven. Ik hoop dat voor Sasja hetzelfde geldt.

Als ik opneem, hoor ik even niets aan de andere kant van de lijn. Net als ik weer wil ophangen, zegt een vrouwenstem: „Bent u Saskia Jongemans?"

„Ja," antwoord ik, nieuwsgierig naar wie me belt. „En u?"

„Elske van der Jagt. Ik woon in hetzelfde huis als Duncan Wielebrink."

Beide namen zeggen me niets, ook al pijnig ik mijn hersenen. „Ja?" zeg ik uiteindelijk. „Moet ik die kennen?"

„U hebt hem gisteren ontmoet," legt Elske uit. „Althans, hij zei dat u bij ons aan de deur kwam om meer informatie te vragen over Elsbeth."

Ineens valt het kwartje en ik schiet meteen overeind. Nerveus begin ik door de kamer te ijsberen. „Ja, dat klopt, dat ben ik. Wat leuk dat er toch nog iemand is die me kan helpen. Ik ben op zoek naar meer informatie over Elsbeth, omdat..." Ik maak mijn zin niet af. Waarschijnlijk kan het Elske ook heel weinig schelen. „Nou ja, dat doet er ook niet toe. Weet jij waar ze nu is?"

„Zorgvlied. Ze is een paar jaar geleden overleden, maar ze heeft tot haar dood in dit huis gewoond."

„Alleen?" probeer ik uit te vissen hoe het verhaal in elkaar steekt.

„Ja. Ze had wel een kind, een dochter. Na Elsbeths dood is het huis verkocht aan mijn vader en ik deel het met een paar studiegenoten."

Mijn hersenen draaien op volle toeren. Elsbeth heeft tot haar dood in het huis gewoond waar ze ook de brieven van Arend ontving, en ze woonde alleen. Dat betekent dat het met Arend niets is geworden. Maar hoe kwam ze dan aan dat kind?

„Ik kan u wel het telefoonnummer van Elsbeths dochter geven," biedt Elske aan. „Misschien kan zij u verder helpen."

„Heel graag." Mijn hart maakt een sprongetje. De dochter van Elsbeth weet natuurlijk wel hoe het zit. Misschien steekt er toch nog een mooi liefdesverhaal achter mijn bestekset.

Elske noemt het nummer, dat ik zorgvuldig in mijn agenda schrijf. Ik laat het haar twee keer herhalen om er zeker van te zijn dat het het goede nummer is en daarna bedank ik haar uitvoerig.

Als ik heb opgehangen, staar ik vijf minuten naar het telefoonnummer dat ik heb opgeschreven. In gedachten oefen ik wat ik ga zeggen, maar ik kom er niet uit. Moet ik eerlijk zijn en het risico lopen dat ze me voor gek verklaart? Of zal ik er een verhaal omheen verzinnen? Dat laatste is een aantrekkelijke optie, ware het niet dat ik geen goed verhaal kan bedenken. Alles wat in me opkomt, is bij voorbaat al waardeloos omdat je als dochter heus wel weet dat je moeder a) geen andere kinderen had, b) niet jaren in het buitenland heeft doorgebracht waar ze een goede vriendin heeft leren kennen die ze later uit het oog is verloren en c) niet de helft van een tweeling was. Gedachteloos teken ik bloemetjes rond het telefoonnummer, tot mijn mobiel gaat die ik dankbaar voor de afleiding opneem.

„Is hij er nog?" wil Sasja weten. Subtiliteit is niet een woord dat in haar vocabulaire voorkomt.

„Gelukkig niet," zeg ik grimmig. „En hij moet ook niet denken dat hij hier nog mag komen. Ik ben blij dat hij weg is."

„Hoezo?" Sasja doet een poging om overtuigend verbaasd te klinken, maar ik heb haar meteen door.

„Je hebt heus wel van Bart gehoord dat ik me niet meer kan herinneren wat me bezielde toen ik dacht dat het een goed idee was om hem mee naar huis te nemen. Het zal wel iets met zijn verhaal over rommelmarkten te maken hebben gehad, dat, zo blijkt nu, van a tot z verzonnen is. Nog bedankt dat je hem hebt ingelicht over mijn hobby."

„Graag gedaan," zegt Sasja opgeruimd. „Je hebt eindelijk weer eens een man in je leven toegelaten. Bravo!"

„Deze ervaring heeft mij er alleen maar meer van overtuigd dat mannen tuig zijn, dat ze er uitsluitend op uit zijn om misbruik van je te maken en dat ze daarbij geen middel schuwen. Vanaf nu laat ik geen man meer ongestraft binnen een straal van twee meter komen."

„Oké, oké," geeft Sasja zich gewonnen. „Ik moet toegeven dat deze truc me een beetje is tegengevallen van Bas. Maar hij is niet mijn enige vrijgezelle collega. Als je wilt kan ik..."

„Nee!" roep ik hard. „Als je het maar laat. Ik ben die collega's van je meer dan zat. En trouwens, ik heb niet eens tijd, want ik moet een prachtig onontdekt verhaal uitzoeken."

„Ben je daar nou nog steeds mee bezig? Ik dacht dat je het had opgegeven."

„Ik ben net gebeld door iemand die me extra informatie heeft gegeven, dus kan ik weer verder. Ik heb nu het nummer van de dochter van Elsbeth."

Het blijft stil aan de andere kant van de lijn en ik realiseer me dat Elsbeth en Arend, die inmiddels oude vrienden van me zijn, bij Sasja nog totaal onbekend zijn. „Elsbeth is de vrouw die de twee brieven heeft ontvangen," leg ik uit. „Omdat de brieven in haar bestekset zaten, ga ik ervan uit dat zij degene is die de set in haar bezit heeft gehad."

„Als die set zo bijzonder is," merkt Sasja nadenkend op, „waarom doet ze hem dan weg?"

„Omdat ze dood is."

„Hè getver, heb jij het bestek van een dode?" reageert Sasja. „Dat lijkt me helemaal niets, hoor."

Iedereen heeft zo zijn eigenaardigheden en bij Sasja is het het idee dat de dood besmettelijk is. Sinds ze erachter is gekomen dat in haar huis honderd jaar geleden iemand dood is gegaan, vindt ze het veel minder fijn om er te wonen. En toen laatst een dode zwerver werd gevonden in het Vondelpark, wilde ze er wekenlang niet komen. Dat kon ik trouwens alleen maar toejuichen.

„Wat maakt dat nou uit?" vraag ik. „Ze zal heus niet in een van de lepels gestikt zijn, hoor. En bovendien, ik gebruik dat bestek niet eens."

„Ga je die dochter bellen?"

„Ja, natuurlijk. Ik weet alleen nog niet wat ik moet zeggen. 'Hallo, ik heb de bestekset van je moeder en daarom wil ik weten met wie ze getrouwd is' klinkt niet echt geweldig. Ik moet iets beters verzinnen."

„Waarom zeg je niet dat je geschiedkundige bent en dat je de brieven hebt gekregen? Omdat je professor in de geschiedenis bent, is het je morele plicht uit te zoeken welk verhaal er achter de brieven schuilgaat."

Ik pak een pen en schrijf Sasja's idee op. Daarna knik ik enthousiast. „Dit is het. Dit ga ik zeggen."

„Oké, mooi," zegt Sasja. „Maar dat was niet de reden dat ik belde. Ik wil namelijk weten..."

„Sorry, maar ik moet ophangen," praat ik echter dwars door haar heen. „Ik bel je later."

Met in mijn ene hand het briefje met het telefoonnummer en in de andere het briefje met wat ik ga zeggen, sta ik voor het raam. Ik volg de auto's die door de straat rijden met mijn ogen, terwijl in mijn hoofd twee gedachtes elkaar verdringen. Als ik een stripfiguur was geweest, had ik op mijn ene schouder een poppetje gehad dat zegt 'waar wacht je nog op' en op de andere een figuurtje dat alleen maar herhaalt 'waar ben je mee bezig?' Net leek het nog een heel goed idee om de dochter van Elsbeth te bellen met een verzonnen verhaal om op die manier meer informatie los te peuteren, maar nu weet ik het niet meer zo zeker. Ik weet helemaal niets van geschiedenis. Misschien is die dochter zelf wel hoogleraar en gaat ze me vragen stellen waarop ik het antwoord niet weet. Of prikt ze zó door mijn verhaal heen en sta ik vervolgens met mijn mond vol tanden. Dan hangt ze natuurlijk meteen op en ben ik mijn enige bron van informatie kwijt. Misschien moet ik haar maar gewoon de waarheid vertellen. Alhoewel, als ik voor gek verklaard wil worden, moet ik vooral met de waarheid aankomen. De paar keer dat ik de waarheid op iemand heb uitgetest, werd ik of uitgelachen of apathisch aangestaard. Of versierd met een zeer, zeer doorzichtige smoes, maar daar wil ik niet meer aan herinnerd worden.

Ik schrik me een hoedje als de telefoon gaat. Onlogisch denk ik dat de dochter van Elsbeth mij belt, maar als ik de telefoon pak, zie ik dat het Lily is. Ik kreun zachtjes en neem op. Heerlijk, vriendinnen die alles van je willen weten.

„Waarom heb je me niet tegengehouden?" is mijn eerste vraag.

Lily grinnikt. „Ik kreeg niet de indruk dat je dat graag wilde. En dat terwijl je nog niet zo lang daarvoor had beweerd dat Bas je type niet was."

„Bas ís mijn type ook niet," zeg ik strijdlustig. „En dat zal hij ook nooit worden. Het was een fout, een afschuwelijke vergissing. En het is jullie schuld."

„Nee, hoor," antwoordt Lily vrolijk. „Je hebt het helemaal zelf gedaan. En trouwens, waarom heb je er zo'n spijt van?"

„Omdat..." begin ik, maar Lily onderbreekt me.

„Hij is misschien je type niet, maar jullie delen wel dezelfde hobby. En met jouw hobby, mag dat wel een klein wonder heten."

„We delen helemaal niet dezelfde hobby," zeg ik, en gelukkig kan Lily niet zien dat mijn wangen rood kleuren van schaamte. „Bas heeft helemaal niets met rommelmarkten, maar hij vond het wel een slimme versiertruc."

Even is het stil aan de andere kant van de lijn, maar dan begint Lily zo hard te lachen dat ik de telefoon een eindje van mijn oor moet houden.

„Ja, ja," brom ik humeurig, als ze weer een beetje tot bedaren is gekomen. „Ik weet het, het is heel erg grappig. Tot je hem 's ochtends in je bed tegenkomt en je werkelijk niet meer weet waarom je niet de avond ervoor gillend bent weggerend."

Lily wil iets zeggen, maar door een nieuwe lachbui kan ze niets uitbrengen. Chagrijnig hang ik op. Het ergste is dat mijn vriendinnen gelijk hebben: het is om te gieren. Maar ik schaam me dood.

Ik kijk weer naar de briefjes in mijn hand. Eén blamage is wel genoeg voor vandaag, besluit ik, en met een ferm gebaar gooi ik de twee papiertjes in de prullenmand. Een minuut later vis ik ze er weer uit en stop ze in mijn agenda.

6

„Sas, hoe zit het met die Pranks-campagne?" Pepijn steekt zijn hoofd om de hoek van de deur en kijkt me aan. „Meneer Bruijns is aan de telefoon en hij wil een afspraak maken om alles door te nemen. Hij blijft maar zeggen hoe geweldig hij het voorstel vindt."

„Oh, echt?" zeg ik blij. „Ik heb er ook uren aan besteed."

„Ja, hij blijft me er maar mee complimenteren. Ik heb hem al tien keer verteld dat jij de campagne hebt gemaakt, maar hij denkt dat je mijn assistente bent, die af en toe paperclips komt brengen."

Meteen maakt mijn glimlach plaats voor een vernietigende blik. „Mooi is dat," roep ik beledigd. „Daar doe je het dus voor!"

„Rustig nou maar." Mijn baas komt naar me toe en legt zijn handen op mijn schouders. „Hij komt over drie dagen langs en dan zorg ik dat ik er niet ben. Als jij de plannen aan hem voorlegt, zal hij heus wel begrijpen dat jij het brein achter deze campagne bent."

„Ik hoop het," mok ik. „De campagne is bijna af. We moeten het alleen nog over de details van de invulling hebben."

Pepijn knikt tevreden. „Mooi, want er dient zich alweer iets nieuws aan. Ik kan er nog niet te veel over zeggen, maar misschien gaan we een heel grote opdracht in de wacht slepen en dan worden we heel rijk en blablabla."

Ik kijk hem nieuwsgierig aan en Emily, die tegenover me zit, stopt ook met typen.

Pepijn grijnst. „Sorry, dames, beroepsgeheim!" Hij steekt zijn handen in de lucht en verlaat onze kamer.

„Wat doet hij ineens geheimzinnig," zegt Emily. „Ik

dacht dat we hier altijd alles bespraken."

Ik kauw op de achterkant van een pen en knik. „Dan moet het wel iets heel bijzonders zijn. Hij straalt helemaal."

Emily haalt haar schouders op. „Als het maar niet te snel komt, want ik verzuip in het werk." Ze richt haar aandacht weer op het beeldscherm en even later klinkt het vlijtige getik van haar vingers op het toetsenbord.

Zelf zit ik ook niet bepaald om werk verlegen, maar de Pranks-campagne kan me niet boeien en ik blader wat door mijn agenda. Volgende week zaterdag geeft Lily een feestje omdat ze jarig is. Ik markeer de donderdag ervoor met een groot kruis en schrijf er 'shoppen' bij. Lily's feestjes zijn in de wijde omtrek bekend. Het lukt haar elk jaar weer om bij een bevriende filmmaker een studio los te peuteren, die ze vervolgens omtovert tot een glamourlocatie. Iedereen die ze kent is er, inclusief de bekende acteurs en actrices die ooit hebben gespeeld in een film of serie van haar hand. Op zo'n feestje kom je niet aan in je oude kloffie, dat doe je gewoon niet. Ik sms Sasja dat er geshopt moet worden, maar ik krijg geen antwoord. Ze zal wel aan het werk zijn.

Ik wil net mijn agenda dichtslaan, als er twee kleine stukjes papier uit dwarrelen. Ik hoef ze niet op te pakken om te weten wat erop staat.

Resoluut sla ik mijn agenda dicht en ik verberg de papiertjes eronder. Ik heb nog steeds niet besloten of ik ga bellen. Of eigenlijk heb ik wel besloten dat ik wil bellen, maar ik weet niet wat ik moet zeggen. Er is natuurlijk ook nog eens kans dat de dochter van Elsbeth helemaal niets van Arend afweet en dat ik per ongeluk haar hele familiegeschiedenis overhoop haal. Dan hoef ik vast niet meer op haar hulp bij mijn zoektocht te rekenen.

Ik merk pas dat ik figuurtjes op mijn kladblok zit te krassen als Emily me onderzoekend aankijkt. „Gaat het?" vraagt ze.

Ik knik en leg snel mijn pen neer. „Tuurlijk. Ik probeer nieuwe ideeën te verzinnen voor de campagne van Pranks." Ik hoop dat ik overtuigend overkom. Vermoedelijk zou ik doodgaan van schaamte als mijn collega's wisten wat er in mijn hoofd omging.

Emily sluit haar computer af en staat op. „Ik wil je graag helpen, maar ik heb een afspraak. Zullen we het er morgen even over hebben?"

Ik knik en hoop dat Emily mijn rode wangen niet opmerkt. Maar ze heeft het te druk met het dichtknopen van haar nieuwe trenchcoat, die een vreselijk onhandige sluiting heeft, waar ze al meerdere nagels op gebroken heeft.

Zodra ze weg is, leg ik mijn agenda aan de kant en pak de briefjes weer. Ik grabbel in mijn tas naar mijn mobiel en zonder nog verder na te denken, typ ik het nummer in. Als ik het nu niet doe, doe ik het waarschijnlijk nooit meer.

De telefoon gaat over en ik wacht vol spanning af tot er wordt opgenomen. Het duurt vijf keer, zes, zeven en net voordat ik weer wil ophangen, klinkt er een klik. „Hallo?" zegt een enigszins hijgende mannenstem.

Ik ben even uit het veld geslagen. Dit was toch de dochter van Elsbeth? „Eh, hallo," zeg ik dan een beetje dommig. „Ik zoek eh..." Lekker handig, ik weet niet eens een naam!

„Elvira?" vraagt de man.

Mijn hart maakt overuren en mijn wangen prikken. Nu denkt hij ook nog dat ik iemand anders ben! „Eh... nee. Ik heet Saskia."

„Oké. Saskia. Maar zoek je toevallig Elvira? Dit is namelijk haar nummer en aangezien je belt...”

„Oh ja!” onderbreek ik hem dankbaar. „Precies, ik zoek Elvira. Ik dacht al, wie heb ik nou aan de lijn?”

Het is een paar seconden stil en ik krijg het vermoeden dat ik een foute opmerking heb gemaakt. „Je hebt Björn aan de lijn,” zegt hij dan op een spottende toon. „De zoon van Elvira. Ken je mijn moeder eigenlijk wel?”

Mijn handen worden klam en ik kan mijn telefoon bijna niet vasthouden. Zenuwachtig frummel ik aan een papiertje. „Nee, ik ken haar niet,” beken ik. „Maar ik wil haar wel graag iets vragen. Is ze in de buurt?”

„Ja, maar zolang ik niet weet waar het over gaat, kan ik haar helaas niet geven.”

Ik haal diep adem. Is hij nou serieus of speelt hij een spelletje? Net klonk zijn stem nog geamuseerd, maar nu is hij eerder bot. Ik besluit het erop te wagen. „Dat is privé.”

De man begint meteen te lachen. „Oh, het is privé? Nou, dat klinkt ernstig. Vooruit, hier heb je mijn moeder. Maar als je probeert haar een telefoonabonnement te verkopen of een nieuwe energieleverancier aan te smeren, bel ik je baas en klaag ik je aan wegens het gebruiken van valse voorwendselen.” Ik weet niet zo heel veel van strafrecht, maar volgens mij geldt dat voor deze man net zo goed. Ik weet niet of ik moet lachen of boos moet worden om de manier waarop hij me heeft behandeld, en ik besluit tot een soort tussenvorm, waarin ik half lachend, half beledigd ‘bedankt’ zeg. Maar hij hoort het al niet meer.

„Met Elvira,” zegt dan een vrouw. „Met wie spreek ik?”

Ik schraap mijn keel. Nu gaat het echt beginnen. „Goedemiddag, u spreekt met Saskia Jongemans. U kent mij niet, maar ik wil u graag iets vragen. Het gaat over uw moeder."

„Mijn moeder?" Ik hoor een zekere afstandelijkheid in de stem van de vrouw. Het liefst zou ik nu gewoon ophangen en doen alsof ik nooit heb gebeld, maar nu ik er eenmaal aan begonnen ben, moet ik ook doorzetten van mezelf.

„Ja, uw moeder. Elsbeth, nietwaar?"

„Dat is mijn moeder, ja. Wat wilt u van haar?"

Ik sluit even mijn ogen en denk een milliseconde na, maar er komt niets beters. „Ik ben geschiedkundige," hoor ik mezelf al zeggen. „En ik heb een aantal oude brieven gekregen die aan uw moeder toebehoren."

„Echt waar?" Elvira klinkt ineens veel toeschietelijker. „Wat leuk! Kan ik ze komen ophalen?"

„Ehm..." Shit, hier had ik niet op gerekend. „Dat kan natuurlijk wel," zeg ik langzaam, ondertussen bedenkend waarom het dus echt niet kan. Oh ja, ik heb het! „Dat kan wel, maar in het kader van het onderzoek moet ik ze nog even houden."

„Hoezo?" vraagt Elvira verbaasd. „Er is toch geen politieonderzoek gaande naar mijn moeder? Dat kan ik me niet voorstellen. Ze was de braafste vrouw op aarde. Zij deed nooit iemand kwaad."

„Nee, ik bedoel historisch onderzoek. Het is onze plicht als geschiedkundigen om zaken uit het verleden uit te zoeken. Tot ik deze zaak helemaal heb uitgediept, moet ik de brieven helaas zelf houden."

„Oh." Elvira klinkt teleurgesteld. „En wat wilt u dan nu van mij?"

„Ik heb wat informatie nodig. Hoe meer informatie u geeft, hoe sneller het onderzoek is afgerond." Ik moet zeggen, ik doe het niet slecht. Sterker nog, ik ben trots op mezelf. Ik kom heel geloofwaardig over. Als ik niet beter wist, zou ik nog in mijn eigen verhaal gaan geloven.

„Weet u, mijn moeder heeft tegen mij nooit zoveel losgelaten over haar verleden," vertelt Elvira me dan. „Ik heb de laatste jaren van haar leven in het buitenland gewoond. Maar mijn zoon heeft veel meer met haar gepraat. Misschien kan ik u beter weer even aan hem geven."

Oh nee, niet weer! Ik wil nog protesteren, maar ik hoor al hoe Elvira met haar hand over de hoorn snel aan haar zoon uitlegt wie ze aan de lijn heeft.

„Zo, geschiedkundige dus?" klinkt dan zijn stem weer, inclusief het spottende toontje. „Interessant. En wat heb je uit de grond opgediept?"

„Brieven," zeg ik met een droge keel. „Oude brieven van je, eh, uw oma. Elsbeth."

„Hoe oud ben je?" vraagt de man dan onverwacht.

„Hoezo?"

„Ik ben 29 en volgens mij ben jij niet veel ouder. Noem me alsjeblieft geen 'u', dat beschouw ik als een belediging."

„Oké, je oma, dan."

„Goed zo," zegt hij tevreden. „Dus je hebt oude brieven van haar gevonden. Interessant." Maar ik hoor aan zijn stem dat hij gaapt. „Wat ga je ermee doen? Als je ze weggooit, stuur ze dan maar op. Mijn moeder wil ze vast wel hebben."

„Ik ga ze niet weggooien, ik probeer uit te zoeken hoe het verhaal in elkaar zit," leg ik uit. „Ik heb een oude..." Net op tijd houd ik me in. Bij het woord 'bestekset' zou Björn waarschijnlijk of niet meer bijkomen van het lachen of de verbinding verbreken.

„Ja, een oude wat?" wil hij weten.

„Professor. Mijn baas is een oude professor, die vindt dat verhalen moeten worden uitgezocht. Daarom ben ik op zoek gegaan naar de herkomst van de brieven. Zou ik je een paar vragen over je oma mogen stellen?"

„Morgenavond, halfacht, restaurant Red op de Keizersgracht."

„Eh... sorry?"

„Je hoorde me wel. Ik wil wel graag weten met wie ik praat als ik van alles over mijn oma ga vertellen. Daarom nodig ik je uit voor een etentje. Je kunt toch wel morgenavond? Of woon je aan de andere kant van het land?"

Ik probeer helder na te denken, maar dat lukt niet. Vraagt hij me nou mee uit eten? Ik ken die man niet eens!

„Nou, woon je in Amsterdam of niet?" dringt hij aan.

„Ja, maar ik kan niet met je uit eten."

„Dan doen we het overmorgen, ook goed."

„Nee." Ik schud mijn hoofd. „Ik bedoel, ik ga helemaal niet met je uit eten. Ik ken je niet eens!"

Hij zucht. „Dat is precies de reden dat we uit eten gaan. Jij wilt meer informatie over mijn oma en ik wil weten aan wie ik dat geef. Zo simpel is het. Schikt halfacht je?"

„Nee!" roep ik. Ik ben nu niet meer zenuwachtig, maar wel geïrriteerd over zoveel arrogantie. Hij gaat er voor het gemak van uit dat iedere vrouw zomaar met hem uit eten wil! Nou, ik ben niet zoals die anderen. Mij kan hij uit zijn hoofd zetten. Dan maar geen Elsbeth.

„Nee, ik ga niet met je uit eten," benadruk ik. „Je denkt toch niet dat ik gek ben? Ik ken je niet!"

„Goed, dan niet," zegt hij luchtig. „Dan krijg je ook geen informatie. Jammer voor jou, Saskia. Tot ziens."

Hij verbreekt de verbinding en ik hap verontwaardigd naar adem. Hoe durft hij?!

„Wat is er?" Ineens is Pepijn in de deuropening verschenen. Hij ziet mijn gezicht en knikt begrijpend. „Bruijns? Ja, hij zou je nog mailen. Wat voor beledigends heeft hij deze keer over je uitgestort?"

Dankbaar voor het excuus voor mijn boosheid, knik ik. „Ja, Bruijns weer." Ik probeer snel iets te bedenken wat in een eventuele e-mail gestaan had kunnen hebben, maar het hoeft al niet meer, want Pepijn is verder gelopen. Ik ontspan een beetje en draai wat met mijn hoofd om mijn stijve nek los te krijgen. Mijn mobiel, die nog ligt waar ik hem boos heb neergesmeten, begint te trillen. Even denk ik dat die arrogante Björn zijn excuses wil aanbieden, maar dan zie ik in het schermpje dat het Lily is.

„Ik ben tot op het bot beledigd," zeg ik als ik opneem.

„En nu?" vraagt Sasja, als ik haar later die avond ook het hele verhaal heb verteld. We zijn bij Lily, waar we deze keer ons wekelijkse etentje houden. Lily heeft Sebastiaan de deur uit gewerkt en dat betekent dat we het rijk alleen hebben. Ik heb net voor de tweede keer die dag over Björn verteld en net als Lily blijkt ook Sasja het een hilarisch verhaal te vinden. Ik lach zelf als een boer met stevige kiespijn.

Sasja kijkt me afwachtend aan en ik haal mijn schouders op. „Dat weet ik ook niet. De dochter van Elsbeth was het enige aanknopingspunt dat ik had en ik denk niet dat ik van die kant nog op hulp hoef te rekenen."

Sasja, die vandaag belast is met de taak de pastasaus door te roeren, wijst met de pollepel naar me. „Tenzij je met hem uitgaat! Het is uiteindelijk maar één keer en wie weet heeft hij een heel interessant verhaal te vertellen."

Ik trek een gezicht. „Ook ik heb mijn principes en een date in ruil voor informatie, riekt naar chantage. Trouwens, wie zegt dat hij geen gevaarlijke moordenaar is?"

„Sas, hij had het over een restaurant, niet over een duistere SM-kelder," helpt Lily me herinneren. „De kans dat hij je neersteekt, lijkt me vrij klein."

„Misschien is hij wel heel knap en rijk," fantaseert Sasja. „En voldoet hij aan al jouw eisen. Je zou zomaar vandaag de man van je dromen kunnen hebben afgewezen en dat zou eeuwig zonde zijn."

Sasja en Lily zijn het roerend met elkaar eens en ik slaak een diepe zucht. Kunnen ze dan nooit eens aan iets anders denken dan de vraag hoe ze zo snel mogelijk een geschikte man voor mij kunnen vinden? Ik hóef helemaal geen man, en al helemaal niet die arrogante kwast van een Björn.

„Ik wed dat hij heel lelijk is," onderbreek ik het gekwebbel van mijn vriendinnen. „Een normale man hoeft toch niet op zo'n manier aan zijn dates te komen?"

„Welnee." Sasja schudt haar hoofd. „Hij kan natuurlijk aan elke vinger tien vrouwen krijgen, maar omdat zij zich blindstaren op zijn mooie uiterlijk, wil hij het nu wel eens anders aanpakken. Hij is vast goddelijk, ik weet het zeker."

Ik schud vermoeid mijn hoofd. Die twee zijn echt onverbeterlijk. In mijn zak trilt mijn telefoon één keer: een sms'je. Ik kijk snel, maar zie een nummer staan dat ik niet ken. Met bonkend hart lees ik de tekst.

Al van gedachten veranderd? Björn

„Nou ja, zeg!" roep ik geërgerd. „Nu heeft hij nog gesms't ook! Hij heeft wel lef, zeg."

Sasja en Lily draaien zich tegelijk om. „Laat zien," eisen ze in koor. Ze grissen mijn telefoon uit mijn hand en analyseren de tekst van het berichtje.

„Hij is natuurlijk heel erg onder de indruk van je stem," zegt Sasja. „En hij kan niet wachten om je te ontmoeten.

Maar omdat hij zo onzeker is, verschuilt hij zich achter een laagje arrogantie."

„Nee, nee!" roept Lily, terwijl ze de schuimspaan in de lucht steekt. „Ik weet het. Hij heeft je opgezocht op internet en is er nu achter gekomen dat jij de vrouw bent naar wie hij zijn hele leven op zoek is geweest. Zijn zielsverwant, dat ben je natuurlijk!"

„Ja hoor, tuurlijk," mopper ik. „Jammer genoeg voor jullie is er maar één echte verklaring: de man is een arrogante bal die het niet kan hebben dat iemand nee tegen hem heeft gezegd en die nu uit is op eerherstel. En dat kan hij mooi vergeten."

Lily en Sasja kijken me teleurgesteld aan. „Dus je gaat niet met hem afspreken?"

Ik schud mijn hoofd. Dan schiet me ineens iets te binnen. „Hoe komt hij trouwens aan mijn nummer? Ik belde naar een vaste lijn, niet naar een mobiel."

„Nummerherkenning," zegt Sasja schouderophalend. „En toen heeft hij je nummer opgeschreven, wat eens te meer bewijst dat hij wel degelijk van je onder de indruk is."

Ik knik twijfelend. Het idee dat Björn de moeite heeft genomen mijn nummer te noteren en nu ook nog te sms-en, zit me helemaal niet lekker. Wat als hij me gaat stalken? Ik besluit hem duidelijk te maken dat ik daar niet op zit te wachten. Driftig typ ik een sms'je terug.

Hoe kom je aan mijn nummer? Laat me met rust.

Het duurt amper een minuut en dan trilt mijn telefoon weer.

Nummerherkenning. Als je wilt dat ik je met rust laat, moet je geen vragen stellen. En je hebt mijn vraag niet beantwoord: ga je mee?

Ik snuif van verontwaardiging. Sasja en Lily merken het

niet, omdat ze druk in discussie zijn over de vraag of Björn een blonde god of juist een mysterieus donker type is. Mij interesseert het niet, als hij me maar met rust laat.

Nee, ik ga niet mee. Ik wilde alleen wat informatie, geen afspraakje.

Ik verwacht dat hij het nu wel begrepen zal hebben, maar toch trilt mijn telefoon dertig seconden later opnieuw. Eigenlijk wil ik het negeren, maar mijn nieuwsgierigheid wint het toch.

Jammer, want het is echt een mooi verhaal. Zegt de naam Arend je iets?

Shit, hij weet écht iets! Ik lees de tekst vijf keer en kan mijn nieuwsgierigheid dan niet langer bedwingen.

Wat weet jij van Arend?

Zijn reactie verbaast me eigenlijk niet.

Morgen, 19:30 uur, Red, Keizersgracht. Ik: donkerblauw overhemd. Jij:...?

Ik slaak een diepe zucht en sms dan terug. *Bruin haar, bruine ogen. Outfit: nader te bepalen.*

Ik druk op 'Verzenden' en heb er meteen alweer spijt van. Waar begin ik aan?

Sasja en Lily houden een vreemd soort vreugdedans als ik ze vertel wat ik heb gedaan. Ze zijn ervan overtuigd dat Björn morgenavond op een wit paard komt aangaloppe-ren met een roos tussen zijn tanden en een verlovingsring in zijn hand en dat we voor het eind van de avond voor eeuwig onafscheidelijk zijn. Zelf ben ik allang blij als ik het avondje overleef en iets meer te weten kom over Elsbeth en haar Arend.

7

Koortsachtig ploeg ik door een stapel shirtjes, waarvan ik met de beste wil van de wereld niet meer kan bedenken waarom ik ze ooit heb gekocht. Ze zijn te klein, te strak, te wijd, hebben de verkeerde kleur of zijn simpelweg te lelijk om aan te trekken. Naast me doorzoeken Sasja en Lily mijn kledingkast, omdat ze het bepalen van een geschikte outfit niet aan mij durven over te laten. Sasja draagt de blouse van het restaurant en haar sloof, omdat ze even van haar werk heen en weer is gereden voor deze belangrijke taak. En ik geef toe, ik ben blij dat ze me komen helpen. Want wat trek je in vredesnaam aan naar een afspraak waarvan je niet eens weet wat het eigenlijk is? Sasja en Lily noemen het voortdurend 'de date', terwijl ik het zelf liever heb over iets als 'informatie-uitwisseling' of 'zakelijke bespreking'. Dat vinden zij echter hopeloos onromantisch.

„Dit is het," zegt Lily, en ze houdt een zachtroze jurkje omhoog dat ik ooit eens voor een bruiloft heb gekocht. Het is strapless en komt tot net boven mijn knie. Ik werp een blik naar buiten. Slecht weer is het niet, maar we zitten ook niet bepaald midden in een hittegolf. Ik trek een rimpel in mijn neus en schud mijn hoofd.

„Waarom niet?" vraagt Lily verontwaardigd. Ze aait over de stof alsof het een puppy is en houdt het jurkje voor haar eigen lichaam. Dan werpt ze een goedkeurende blik in de spiegel. „Het is een prachtige jurk. Björn zal zijn ogen niet van je af kunnen houden."

„Precies," knik ik. „En daarom trek ik het ook niet aan. Ik heb iets nodig dat wat meer zakelijkheid uitstraalt. Ik wil informatie, geen onenightstand. Hoe vaak moet ik dat nog uitleggen?"

Lily werpt een teleurgestelde blik in de spiegel en hangt het jurkje dan terug in de kast. Ze zoekt verder, maar ook de denim minirok, bordeauxrode jurk en rok met lovertjes die ze daarna omhooghoudt, keur ik af.

„Dit misschien?" vraagt Sasja en ze houdt een zwartfluwelen jurkje omhoog, dat driekwartmouwen en een acceptabele lengte heeft. Ik heb het al jaren, maar draag het eigenlijk veel te weinig. Het is perfect voor de gelegenheid. Sasja diept een paar pumps met hoge hakken op uit de catacomben van mijn kledingkast en klaar is mijn outfit.

Even later draai ik rondjes voor de spiegel. Ik zie er goed uit, al zeg ik het zelf. Het gedwongen sporten, dat ik keer op keer vervloek, heeft zijn vruchten afgeworpen en het zwarte jurkje valt soepel om mijn taille. De hoge hakken doen mijn kuiten slanker lijken en geven me meer lengte. Ik weet niet waarom, maar om een of andere reden denk ik dat ik dat vanavond nodig ga hebben.

„Heel goed," zegt Sasja, terwijl ze me van top tot teen opneemt. Ook Lily knikt goedkeurend. „Aan je outfit zal het in elk geval niet liggen."

Ik haal diep adem om voor de zoveelste keer uit te leggen dat ik vanavond een zakelijke afspraak heb, en geen romantisch diner voor twee, maar mijn vriendinnen snoeren me de mond. „We weten het," zucht Lily. „Je verkeert nog in de ontkenningsfase."

„Bel ons vanavond," eist Sasja. „Zodra je het restaurant verlaat, wil ik een gedetailleerd verslag. Tenzij je natuurlijk niet alleen bent." Ze glimlacht en knipoogt naar me. Ik rol met mijn ogen en richt mijn blik weer op mijn spiegelbeeld. Ook al wil ik niets anders dan informatie van Björn, ik kan niet ontkennen dat ik blij ben met hoe ik er vanavond uitzie.

Hijgend hang ik over het stuur van mijn fiets. Het is vijf minuten over halfacht en ik ben nog niet eens in de buurt van het restaurant. Nadat Sasja naar haar werk was gegaan, stelde Lily voor om een glas wijn te drinken en daar ik ben altijd wel voor te porren. Maar voor ik het wist was het kwart over zeven en mijn haar zag eruit als een mislukt vogelnestje. Gelukkig is Lily heel handig met de föhn, al betwijfel ik of er van mijn kapsel nog veel over is, aangezien het vanavond waait alsof er een orkaan over het land trekt. En nu gaat mijn mobiel ook nog. Als het Björn maar niet is.

Terwijl ik stug door blijf trappen, vis ik mijn telefoontje uit mijn tas. Het is Pepijn. „Ja," zeg ik onaardig, omdat ik echt geen adem overheb om meer dan één woord uit te brengen.

Mijn baas laat zich niet uit het veld slaan. „Chagrijnig?" informeert hij.

„Nee. Fiets."

„Aha. Ik zal het kort houden. Ik wil alleen even doorgeven dat we morgen een belangrijke presentatie hebben voor die nieuwe klant waar ik jou en Emily over vertelde. Hij is echt een heel grote vis en ik ben ontzettend trots dat we hem hebben binnengehaald. Het is morgenochtend om tien uur, dus zorg dat je er bent, dat je er een beetje toonbaar uitziet en blablabla."

„Ik zal er zijn," beloof ik buiten adem. „Doei." Ik druk het gesprek weg en prop mijn telefoon weer in mijn overvolle tas. Pepijn is al dagen vreselijk nerveus over de geheimzinnige nieuwe klant en ik ben inmiddels behoorlijk nieuwsgierig wie het is. Hij heeft alleen maar gezegd dat het een groot bedrijf is en dat we een enorme multimediacampagne gaan opzetten. Emily en ik kunnen, als we dit tot een goed einde weten te brengen, allebei een behoorlijk indrukwekkende campagne op ons cv bijschrijven.

Ik zet de nieuwe klant uit mijn hoofd als ik mijn fiets op de brug voor het restaurant parkeer. Over Visser & Visser ga ik morgen wel weer nadenken. Vanavond heb ik iets anders aan mijn hoofd.

Voor de deur van het restaurant haal ik diep adem. Donkerblauw overhemd, had Björn gezegd. Ineens weet ik waarom ik de afgelopen jaren elke aanbieding voor een blind date heb afgeslagen. Wat is dit verschrikkelijk. Ik adem nogmaals diep in en uit, recht dan mijn rug en mijn schouders en stap het restaurant binnen. Veel zelfverzekerder dan ik me voel, laat ik mijn blik over de tafeltjes dwalen. Het restaurant is stampvol en ik zie niet één tafel waar niet minstens twee mensen aan zitten. Ik voel het zweet op mijn rug prikken. Wat als Björn me voor de gek heeft gehouden? Waarom heb ik hem ook zo makkelijk geloofd? Hij zit natuurlijk nu thuis zich te verkneukelen over zijn enorm goede grap en hij baalt er vast van dat hij mijn gezicht niet kan zien nu ik erachter kom dat ik er met open ogen ingetuind ben. Waarom ben ik ook zo naïef?

„Saskia?" klinkt dan een diepe mannenstem achter me en ik draai me met een ruk om.

„Ja!" zeg ik gretig.

Twee donkerbruine ogen kijken me geamuseerd aan. „Zo, jij bent wel heel blij om me te zien."

Ik kan wel door de grond zakken en kreun zonder geluid te maken. „Jij moet Björn zijn," zeg ik veel rustiger. Vanaf nu is het zaak dat ik afstandelijk overkom. Zakelijk. Koel. Waarom moet Björn er nou uitzien als een fotomodel, dat net uit een of andere campagne is weggelopen? Hij heeft bruine krullen, die tot net over zijn oren vallen. Zijn donkerbruine ogen hebben een onpeilbare diepte in zich, al vertonen ze een open blik. Björn is lang – gelukkig heb ik mijn *killer heels* aan – en goed gebouwd. Hij heeft het soort lichaam waaraan je kunt zien dat er heel wat sportschooluurtjes in gestoken zijn. Ik zucht. Het zou zoveel makkelijker zijn als hij een klein, stoffig mannetje met een rond brilletje was.

„Hoi." Hij steekt zijn hand uit. „Ik ben inderdaad Björn. Ik zat aan dat tafeltje naast de deur, vandaar dat je me niet zag."

„Oh, ja," zeg ik afwezig, alsof ik met veel verhevener zaken bezig ben dan waar Björn zich bevond. „Ik probeerde me te herinneren wat je ook alweer had gezegd over de kleur van je overhemd." Alsof 'donkerblauw overhemd' niet de woorden waren die al de hele dag door mijn hoofd spookten.

„Donkerblauw," zegt Björn als hij mijn stoel voor me naar achter schuift en wacht tot ik ga zitten. „Het leek me wel zo makkelijk om die kleur dan ook maar te dragen."

„Natuurlijk," zeg ik ongemakkelijk. „Logisch."

Björn gaat zelf zitten en kijkt me onderzoekend aan. Ik sla mijn ogen neer en probeer koortsachtig iets te bedenken om de stilte te verbreken. Gelukkig doet Björn dat al. „Voor een geschiedkundige mag je er best zijn," zegt hij.

Ik kijk hem aan en probeer te bepalen of ik beledigd of gevleid moet zijn. „Is dat een compliment?"

„Vind je het een compliment?" Zijn bruine ogen boren zich in de mijne en mijn mond wordt gortdroog. Ik heb het idee dat ik in een slechte quiz ben beland, waarin een fout antwoord me heel veel punten kost.

Gelukkig duikt net op dat moment de serveerster naast me op. „Iets drinken?" vraagt ze en ik bestel een glas rode wijn en een spa blauw. Precies op dat moment zie ik dat Björn exact hetzelfde voor zich heeft staan.

Hij knikt goedkeurend. „We hebben in elk geval dezelfde smaak. Dat is een goed begin van de avond, vind je niet?" Hij kijkt me aan met een blik die er geen twijfel over laat bestaan dat hij gewend is dat vrouwen met bosjes tegelijk voor hem vallen. Nu ik zijn toets der kritiek heb doorstaan – althans, voor het gemak vat ik zijn opmerking als een compliment op – verwacht hij van mij een soortgelijke reactie. Nou, die kan hij mooi op zijn buik schrijven.

„Goed," zeg ik, terwijl ik de kopieën van Elsbeths brieven uit mijn tas haal. „We zijn hier natuurlijk met een reden en mijn voorstel is om maar meteen te beginnen. Je hebt vast een hoop te vertellen."

Maar Björn schuift de brieven van zich af en houdt zijn hoofd schuin. „Ik heb je gezegd dat ik eerst wil weten aan wie ik al die geheimen ga prijsgeven. Ik wil je eerst beter leren kennen. Begin maar bij het begin."

Ik kijk hem verbluft aan. In zijn ogen zie ik dat Björn het heerlijk vindt dat hij me kan laten doen wat hij wil, omdat hij iets heeft dat ik wil hebben. Ik knijp mijn ogen tot spleetjes en zend hem een vernietigende blik, maar hij blijft strak terugkijken. Zijn gezicht staat geamuseerd.

Ik zucht. „Als ik beloof dat ik je een korte versie van het hele verhaal geef, beloof jij dan dat we daarna ter zake kunnen komen?"

„Niet té kort, graag."

„Goed, ik ben Saskia Jongemans, 26 jaar oud, werkzaam bij reclamebureau Visser & Visser, woonachtig in Amsterdam en in het bezit van een goudvis. Kunnen we het nu over je oma hebben?"

Björn grinnikt. „Ik zei nog: niet té kort. Vertel me eerst

maar eens waarom iemand die geschiedkundige is, bij een reclamebureau werkt."

Mijn hart mist een slag en ik voel het bloed naar mijn wangen stijgen. Shit! Ik heb me verraden en ik kan met de beste wil van de wereld geen manier bedenken om mezelf hier nog uit te kletsen. Ik neem een te grote slok rode wijn en krijg prompt een hoestbui, die me een paar minuten bedenktijd oplevert.

„Kijk, in de reclamewereld heb je ook heel veel aan mensen die iets van geschiedenis weten," probeer ik nog, maar Björn kijkt me spottend aan.

„Laat maar," zegt hij. „Je bent ook veel te mooi om geschiedkundige te zijn, dat zag ik meteen al. Maar als je geen professor bent, waarom ben je dan in vredesnaam zo geïnteresseerd in het levensverhaal van mijn oma?"

„Dat is een lang verhaal," mompel ik. „Je vindt het vast niet interessant." De waarheid is dat ik nog liever mijn tong afbijt dan Björn over mijn suffe hobby te vertellen. Hij zal waarschijnlijk zo hard lachen dat iedereen in het restaurant stil zal vallen. Gelukkig redt de serveerster me voor de tweede keer. Ze brengt de menukaarten en ratelt iets over het menu van de dag, maar wat dat precies is, gaat langs me heen. Ik heb het veel te druk met het vermijden van Björns blik en het bedenken van een plausibele verklaring voor het feit dat ik tegen hem heb gelogen. Gelukkig kan ik me de komende minuten nog bezighouden met het zorgvuldig bestuderen van de menukaart.

Björn slaat zijn kaart niet eens open. „Voor mij de kreeft," laat hij de serveerster weten, waarna hij haar de kaart teruggeeft. Hij kijkt mij aan. „Het is vrij simpel hier: je eet of kreeft of tournedos. Welke van de twee wil je?"

„Tournedos," mompel ik, waarna ik er zo lang mogelijk over doe om een saus uit te zoeken. Maar uiteindelijk moet ik de menukaart toch teruggeven en nadat ik nog een tijdje aan het tafelkleed heb gefrummeld, kan ik het niet langer uitstellen om Björn aan te kijken. Hij trekt vragend zijn wenkbrauwen op en ik kan hem wel wat aandoen. Hij maakt het me expres moeilijk vanavond.

„Oké, ik ben geen geschiedkundige," geef ik toe. „Ik werk bij een reclamebureau en dat heeft helemaal niets te maken met de reden dat we hier vanavond zijn. Ik heb een oude bestekset gekocht, eh... gekregen, en daarin vond ik die brieven die aan jouw oma gericht waren. Ik ben dol op mooie verhalen en daarom ben ik op zoek gegaan naar de achtergrond van de brieven. Mijn vriendin is scenarioschrijfster, snap je?" Ik weet eigenlijk ook niet waarom ik dat laatste toevoeg, maar het doet het geheel op een of andere manier wat minder vreemd lijken. Björn merkt dat blijkbaar ook, want hij knikt langzaam.

„Van wie heb je die set gekregen?" wil hij dan weten.

Ik voel dat ik opnieuw kleur tot aan mijn haarwortels. Als ik vroeger in de klas een antwoord moest geven, kreeg ik altijd een kop als een tomaat, waar ik me dan weer zo voor schaamde dat ik over het algemeen paars aanliep. Ik dacht dat ik mijn bloosperiode achter me had gelaten, maar op dit soort momenten steekt mijn oude verlegenheid nog altijd de kop op. En het erge is, ik kan er niets aan doen.

„Je bloost," stelt Björn tot overmaat van ramp vast. „Waarom?"

„Omdat eh..."

„Heb je die bestekset wel gekregen? Of heb je hem soms gestolen?"

„Nee!" roep ik uit. „Natuurlijk heb ik hem niet gestolen. Wat denk je wel niet van me?"

„Maar je hebt hem ook niet gekregen, wel?"

„Ik heb hem gekocht," geef ik dan toe. „Op een rommelmarkt."

Ik zet me schrap voor het lachsalvo dat komen gaat, maar tot mijn grote verbazing blijft het stil.

Björn kijkt me afwachtend aan. „En?" vraagt hij als ik niets zeg. „Wat is de rest van het verhaal?"

„Dat was het. Ik heb de bestekset gekocht op een rommelmarkt. Ik weet het, rommelmarkten zijn de meest suffe markten die je je maar kunt voorstellen, maar ik houd er nou eenmaal van."

„Ik vind het helemaal niet zo suf," zegt Björn dan. „Je vindt er vaak de mooiste spullen voor een belachelijk lage prijs. Je moet vaak alleen even door het buitenste laagje heen kijken en je moet niet bang zijn om de handen uit de mouwen te steken en oude spullen op te knappen."

„Nou, precies," zeg ik verrast. „Dat zeg ik ook altijd tegen mijn vrienden, maar niemand wil me geloven. Ze denken dat je met spullen van de rommelmarkten de meeste vieze beesten in huis haalt en dat er bij mij nog geen vlooienkolonie woont, mag volgens hen een wonder heten."

„Tja," knikte Björn, „dat is nou eenmaal hoe mensen erover denken. Maar ik vind het goed van je dat je je daar niets van aantrekt en dat je toch gewoon je spullen op een rommelmarkt koopt, omdat je dat leuk vindt."

Ik probeer een spottende blik in zijn ogen te ontdekken, iets wat mijn vermoeden bewijst dat hij een loopje met me neemt, maar Björn is bloedserieus. Zijn ogen staan geïnteresseerd, vriendelijk zelfs en ik ontspan een beetje. Misschien wordt dit toch nog een leuke avond.

„Kom je wel eens op rommelmarkten?" vraag ik.

Hij schudt zijn hoofd. „Dat niet. Ik heb twee linkerhanden, dus ik zou iemand moeten inhuren om oude spullen op te knappen en dan ben ik net zo duur uit als wanneer ik iets nieuws koop."

„Logisch," knik ik. „Maar als je geen bouwvakker of timmerman bent, wat doe je dan wel voor werk?"

Björn knikt waarderend. „Slim bruggetje," complimenteert hij. „Je zou onderzoeksjournalist moeten worden."

„Niet van het onderwerp afwijken," zeg ik streng. „Als we elkaar beter moeten leren kennen, kan dat natuurlijk niet van één kant komen."

„Ik speel de baas in mijn eigen bedrijf," zegt hij. „Ik doe graag alsof ik het voor het zeggen heb en mijn werknemers laten me in die waan."

„Wat voor bedrijf?"

„Verzekeringen. Heel saai. Veel te saai om nu lang over te praten. Laten we het liever over jouw baan hebben. Reclame, nietwaar?"

„Inderdaad, ik ontwikkel reclamecampagnes voor bedrijven en producten. Ik heb bijvoorbeeld net een campagne afgerond voor Pranks. Ken je dat, Pranks?"

Björn trekt een vies gezicht. „Zijn dat die ontzettend melige chocoladesnoepjes, waarvan acuut de gaten in je tanden vallen als je er alleen maar naar kijkt?"

Ik knik en onwillekeurig moet ik lachen. „Die zijn het, ja. Aan mij de taak om een campagne te ontwikkelen die iedereen doet vergeten dat Pranks smerige meelballen zijn, die je beter kunt gebruiken om gaten in de muur mee te stoppen."

Björn gooit zijn hoofd in zijn nek en lacht. „Jij weet werk en privé wel te scheiden, hè? Zodra je de deur van het kantoor achter je dichttrekt, is het niet langer jouw taak om jullie klanten te vriend te houden."

Ik haal mijn schouders op. „Pranks zijn gewoon echt heel vies en bovendien is de brandmanager een hopeloos ouderwetse man, die denkt dat vrouwen uitsluitend zijn uitgevonden om het koffiezetapparaat te bedienen. Dat ik degene ben die de campagne in elkaar heeft gezet, wil er bij hem niet in en hij deelt steevast complimenten uit aan mijn baas."

Björn lacht weer en het valt me ineens op dat zijn ogen heel vrolijke pretlichtjes vertonen als hij dat doet. Ik roep mezelf streng tot de orde. Zakelijk, deze bespreking is puur zakelijk.

„Goed." Björn buigt een beetje voorover en pakt de kopieën van de brieven. „Laten we maar eens ter zake komen. Wat wil je precies weten?"

Elkaar beter leren kennen, zei hij. Blijkbaar moet ik dat niet al te letterlijk nemen. Ik weet nog niets van hém, maar ik laat het er maar bij zitten, omdat ik veel te nieuwsgierig ben naar wat hij over Elsbeth en Arend weet. Trouwens, waarom zóu ik eigenlijk iets van hem willen weten? Hij interesseert me niets, het is mij om zijn oma te doen. En dat hij toevallig leuke, twinkelende ogen heeft, dat kan mij niets schelen.

Net zomin als het mij iets uitmaakt dat hij best goed gebouwd is.

Gespierd ook.

En knap.

„Ik eh..." stamel ik, terwijl ik razendsnel mijn telefoon uit mijn tas gris. „Ik moet even naar het toilet."

Pijlsnel sprint ik door de zaak, waarbij ik natuurlijk de deur van het toilet voorbij ren en ik in de keuken uitkom. Maar uiteindelijk vind ik dan wat ik zoek en ik klap mijn telefoon open. Met trillende vingers zoek ik het nummer van Lily op.

„Dat is snel," zegt ze, als ze na één keer overgaan opneemt. „Is hij een pathologische moordenaar die jou tot zijn nieuwste project heeft bestempeld en voor wie je nu op de vlucht bent geslagen?"

„Nee!" zeg ik vol afschuw. „Hij is juist heel erg leuk."

„Aha!" roept Lily triomfantelijk uit. „Zeiden we het niet? Maar waarom bel je mij dan? Hup, terug naar de tafel en sla hem aan de haak voor de avond voorbij is. Je moet geen tijd verspillen!"

„Maar ik wíl hem niet eens aan de haak slaan," protesteer ik. „Ik wil juist helemaal niets van hem. Daarom bel ik jou ook. Vertel me dat ik niets van hem wil. Kom op, zeg het maar. Ik ben mijn verstand verloren en nu moet jij me redden."

„Vergeet het maar," zegt Lily doodleuk. „Jij toont na al die tijd eindelijk weer eens de tekenen van een gezonde hormoonwerking en dan zou ik zeker degene zijn die daar een eind aan maakt. Dat wil ik niet op mijn geweten hebben, hoor."

Ik zucht diep en werp een hulpeloze blik in de spiegel. „Aan jou heb ik ook niets," zeg ik en ik hang op. Lily roept nog iets wat ik niet meer versta, maar ik kan het wel raden.

Snel laat ik koud water over mijn polsen lopen, zend mezelf een strenge blik toe in een spiegel en verlaat de toiletruimte. Zakelijk, zakelijk, herhaal ik als een mantra in mijn hoofd. Ik mag mijn verstand nu niet meer verliezen.

8

Björn kijkt me onderzoekend aan als ik weer aan tafel plaatsneem. Ik glimlach zo zorgeloos mogelijk.

„Is er iets?" wil hij weten, maar ik schud mijn hoofd en hij gelooft me gelukkig.

„De brieven," gaat hij verder over het onderwerp waar het allemaal om draait. „Elsbeth was dus mijn oma, zoals je inmiddels al weet. Ze is een paar jaar geleden overleden en ik mis haar nog elke dag."

Er verschijnt een verdrietige blik in zijn ogen, en mijn hart breekt. Hij mag zich dan voordoen als het gewiekste zakenmannetje, maar als je over zijn oma begint, is Björn nergens meer. Ik onderdruk de neiging om zijn hand te pakken en hem te troosten.

„Ik bezocht haar elke zondag en dan praatten we urenlang," gaat Björn verder. „Vaak over haar leven. Ze shockeerde haar ouders toen ze het huis uit ging en op zichzelf ging wonen. Dat deed niemand in die tijd en het was ook totaal ongepast, maar mijn oma trok zich van niets en niemand wat aan. Ze groeide op op de Veluwe, maar vertrok toen ze een jaar of twintig was in haar eentje naar Amsterdam, waar ze een huis en een baan vond. Ze werkte als typiste voor het leger en zo leerde ze natuurlijk heel veel soldaten kennen. Dat waren vaak jonge, ongebonden jongens, die haar onafhankelijke houding wel konden waarderen."

„Arend ook," concludeer ik en Björn knikt. We wachten even tot de serveerster de drankjes en wat brood heeft neergezet en dan kijk ik Björn verwachtingsvol aan. Ik hunker naar meer informatie, maar hij neemt de tijd om een broodje te smeren.

„Wil je ook?" vraagt hij, maar ik schud heftig met mijn

hoofd. Ik kan geen hap door mijn keel krijgen.

Uiteindelijk vervolgt Björn zijn verhaal. „Ze leerde inderdaad Arend kennen. Hij had in zekere zin hetzelfde gedaan als zij: hij had ongetrouwd het ouderlijk huis verlaten en woonde op een kamer in Amsterdam. Maar hij was natuurlijk een man, een soldaat ook nog, waardoor het bij hem wel geaccepteerd was. Hij vond Elsbeth interessant en hij deed er alles aan om haar aandacht te trekken." Hij glimlacht en staart naar buiten. Ik durf niets te zeggen, omdat Björn met zijn gedachten heel ver weg lijkt. Als hij verder praat, kijkt hij me niet eens aan.

„Elsbeth moest eerst weinig van hem weten. Ze vond de aandacht van al die mannen wel leuk, maar ze wist ook dat veel van hen geen ander doel hadden dan haar aan zich te binden. Ze was loslopend wild, waarvan veel mannen dachten dat ze wanhopig op zoek was naar een huwelijkspartner. Maar zo was ze niet: Elsbeth plaatste grote vraagtekens bij het huwelijk. Ze had vriendinnen die niet gelukkiger waren geworden door te trouwen en kinderen te krijgen en Elsbeth had al voor zichzelf bepaald dat ze alleen zou trouwen als ze echt van iemand hield. Mocht ze de ware nooit ontmoeten, dan trouwde ze maar niet."

„Wat dapper," zeg ik bewonderend en Björn kijkt me met een schok weer aan, alsof hij zich ineens realiseert dat ik er ook nog ben. „Maar blijkbaar wist Arend haar toch voor zich te winnen."

Björn glimlacht. „Hij was intussen vreselijk verliefd op haar geworden. Zo verliefd dat hij elke dag wel een smoes verzon om bij de typistes te kunnen zijn. Soms zelfs meerdere keren per dag. Dat daar soldaten in en uit liepen, was inmiddels al niets nieuws meer, sinds Elsbeth er werkte. Maar zo vaak als Arend er kwam… Dat begon natuurlijk op te vallen." Hij lacht nu breeduit. „Mijn oma kon er heel grappig over vertellen. De oudere vrouwen keken haar vaak heel afkeurend aan, omdat ze vonden dat een vrouw als Elsbeth al lang getrouwd had moeten zijn en moeder van minstens twee kinderen. Haar geflirt met al die mannen was hun een doorn in het oog. Maar de jongere vrouwen die er werkten, hadden bewondering voor Elsbeth. Zij deed precies wat de anderen eigenlijk ook wel hadden willen doen, maar wat ze niet hadden gedurfd. Ik weet zeker dat veel van hen, als ze 's avonds naar huis gingen en daar hun man en kinderen op de bank zagen zitten, jaloers aan Elsbeth dachten."

Ik hang aan Björns lippen, maar hij zwijgt even omdat het eten wordt gebracht. „Vertel eens," zegt hij dan, „waar kom je vandaan? Waar wonen je ouders?"

„Ik kom uit Amsterdam," antwoord ik braaf, omdat het toch geen zin heeft Björn te vragen verder te vertellen als hij daar zelf nog geen zin in heeft. „Mijn ouders wonen al jaren in hetzelfde huis in Oud-West, waar ik ook ben opgegroeid."

„Broers? Zussen?"

Ik schud mijn hoofd. „Misschien viel ik erg tegen," doe ik een poging grappig te zijn, maar Björn fronst zijn wenkbrauwen.

„Dat ik kan me echt niet voorstellen," zegt hij en hij zendt me een intense blik, waardoor ik mijn wangen knalrood voel worden. Ik probeer een antwoord te verzinnen dat tegelijkertijd gevat, zwoel en grappig is, maar faal natuurlijk hopeloos. Verder dan wat gestotter kom ik niet, maar dat schijnt Björn juist erg leuk te vinden, want er verschijnen pretlichtjes in zijn ogen.

Zo snel als het moment gekomen is, zo snel is het ook weer voorbij. Björn leunt achterover en stelt nog wat vragen over mijn ouders, die ik beantwoord, maar het gevoel van net is weg.

Als zijn bord leeg is, legt Björn met uiterste precisie zijn bestek recht. Even is het stil tussen ons, maar dan kijkt hij me aan en zegt: „Jij wilt natuurlijk weten hoe het afliep tussen Arend en Elsbeth, nietwaar?"

Ik voel me net een drugsverslaafde voor wiens neus met een zakje wiet heen en weer wordt gezwaaid. Björn weet wat ik wil, dat is duidelijk, en hij geniet ervan om pauzes in te lassen, zodat ik nog even blijf verlangen naar meer informatie. Ik haat hem erom en tegelijkertijd hoop ik dat hij het vaker doet. Hardnekkig negeer ik het bonzen van mijn hart. Zenuwen, houd ik mezelf voor.

„Goed." Björn leunt zo ver voorover dat zijn gezicht vlak bij het mijne is. Eén bizarre seconde lang denk ik dat hij me zal zoenen, hier, in een vol restaurant. Maar dan gaat hij weer rechtop zitten. „Arend bleef volhouden," vervolgt hij zijn verhaal, „ook al had Elsbeth nog maar weinig interesse in hem getoond. Het laatste wat ze wilde was zich binden. Ze genoot met volle teugen van haar vrijheid, al had ze dan weinig vriendinnen om die mee te delen en ging ze het grootste deel van de tijd alleen op stap. Ze genoot er ook van dat anderen afkeurden wat ze deed. Eigenlijk was ze een provo *avant la lettre*."

Hij lacht om zijn eigen grapje, maar wordt dan meteen weer serieus. „Elsbeth wist natuurlijk ook dat Arend elk moment kon worden uitgezonden. De oorlog in Europa was net voorbij, maar in Nederlands-Indië werd nog volop gevochten. Alle soldaten leefden met het idee dat ze erheen moesten – de vraag was alleen wanneer. Dat Arend weg moest, was voor Elsbeth niet ongunstig. Ze kon iets met hem beginnen, zonder dat ze meteen gebonden zou zijn. Het was slechts een kwestie van weken voor hij opgeroepen zou worden en dan zou ze van hem af zijn. Tegen de tijd dat hij terugkwam – jaren later waarschijnlijk – zouden ze wel weer zien. Dan waren ze allebei ouder en wijzer en misschien, zo dacht ze, was ze dan wel klaar om te trouwen." Björn wacht even tot de serveerster onze lege borden heeft weggehaald. Hij wil blijkbaar niet dat anderen horen wat hij vertelt, want elke keer als er iemand langs ons tafeltje loopt, zwijgt hij.

„Ineens ging ze Arend anders behandelen," vervolgt Björn. „Ze werd vriendelijker en liet hem merken dat hij een kans maakte. Haar collega-typistes kregen ineens weer hoop dat het toch nog goed zou komen met Elsbeth, niet wetend dat zij Arend juist zo leuk vond omdat hij elk moment naar de andere kant van de wereld kon worden gestuurd. Arend, die hopeloos verliefd was op Elsbeth, was alleen maar dolgelukkig dat er eindelijk op zijn avances werd ingegaan."

„Ze hield hem dus gewoon aan het lijntje," zeg ik, maar Björn schudt zijn hoofd.

„Zoals ik het nu vertel, lijkt mijn oma misschien een berekenende vrouw die zonder gewetenswroeging met de gevoelens van Arend speelde, maar zo zit het niet. Misschien dat ze in het begin van de relatie iets te veel aan zichzelf dacht, en aan haar vrije leventje waarvoor ze zo hard had geknokt. Ze was bang om kwijt te raken wat ze had en in haar hoofd was het idee ontstaan dat je maar beter niet kon trouwen, omdat je leven dan praktisch voorbij was. Later moest ze dat beeld bijstellen."

Nu komt het, ik weet het zeker! Waarom moet die ellendige serveerster nou weer verschijnen met de dessertkaart? Ik wimpel haar weg en bestel alleen een Irish coffee, maar Björn pakt de kaart aan en bestudeert deze uitgebreid. Pas nadat hij besteld heeft, kijkt hij mij weer aan. Er is een zachte blik in zijn ogen verschenen, die mijn hart meteen op hol doet slaan. Hoe heb ik aan het begin van de avond kunnen denken dat hij een arrogant en vervelend mannetje was?

Jammer alleen dat deze bespreking puur zakelijk is, zegt de stem van mijn geweten streng. Ik haal diep adem en probeer me te concentreren, maar Björn blijft me aankijken met een mengeling van tederheid en iets heel anders, dat mijn bloed met een rotgang door mijn aderen jaagt. Misschien komt het door het verhaal dat hij vertelt. Het lijkt wel alsof *wíj* Elsbeth en Arend zijn, die op het punt staan een relatie te beginnen.

„Toen Arend eenmaal doorhad dat Elsbeth zijn gevoelens beantwoordde, was hij helemáál niet meer bij haar weg te slaan," vertelt Björn. „Ze begonnen stiekem afspraakjes te maken en waren op een gegeven moment bijna dagelijks bij elkaar. Wat Elsbeth niet had verwacht, gebeurde toch: ze werd verliefd op hem. Ineens begreep ze waarom mensen met elkaar wilden trouwen, en waarom ze kinderen wilden krijgen. Dit was haar nog nooit overkomen. Iedereen merkte de verandering aan haar, ook haar ouders natuurlijk. Ze kwam niet zo vaak meer thuis, omdat ze elke keer moest aanhoren dat haar vader en moeder zich zo'n zorgen om haar maakten, dat ze echt wel een geschikte man voor haar konden regelen en dat ze altijd weer thuis mocht komen wonen als de bevlieging voorbij was. Elsbeth wilde hen wel vertellen over Arend, maar het leek haar beter om het niet te doen. In de beleving van haar ouders – en van nog veel meer mensen in die tijd – was het een grote schande om met iemand om te gaan zonder getrouwd te zijn. Maar uiteindelijk hoorden haar ouders natuurlijk wel dat Elsbeth een man had ontmoet. Toen barstte de bom en bestookten ze haar met brieven, zoals deze hier." Hij houdt de kopie omhoog. „Haar moeder kon geen brief schrijven of er werd Elsbeth weer een andere man aangeboden. Elsbeths broers en zussen briefden naar hartenlust informatie over hun losgeslagen zusje door en dat gebruikte haar moeder dan weer dankbaar in haar brieven. Mijn oma werd er gek van!"

Ik wil hem dwingen om sneller te praten, omdat ik precies wil weten hoe het met Arend verderging. Maar het dessert wordt gebracht en Björn neemt er de tijd voor. Er hangt een vreemd soort spanning in de lucht. Ik denk dat het komt door het verhaal van Elsbeth en Arend, dat pas net begonnen is, maar dat door Björn elke keer wordt onderbroken. Ik wil nú weten hoe het verderging en kijk Björn ongeduldig aan. Hij lacht naar me zonder iets te zeggen.

Pas als zijn dessert op is en hij koffie heeft besteld, begint hij er weer over. „Ben je benieuwd hoe het afliep met Elsbeth en Arend?" vraagt hij, terwijl hij weer zo ver voorover leunt dat onze neuzen elkaar bijna raken en ik de zwarte spikkeltjes in zijn bruine ogen kan zien. Ik haal diep adem – waarbij zijn aftershave mijn neus binnendringt – en knik, verlamd door de hele situatie.

Björn kijkt op zijn horloge. „Ik weet niet hoe het met jou zit, maar ik moet morgen weer vroeg op. En het is zo'n mooi verhaal dat ik het niet wil afraffelen. Ik ben bang dat we een nieuwe afspraak moeten maken."

Ik laat mijn adem ontsnappen en kijk hem verbluft aan. „Maar…"

„Sorry, Saskia." Het lijkt erop dat hij het echt spijtig vindt. „We maken een nieuwe afspraak en dan vertel ik je hoe het afliep, oké? Ik kan het mijn oma toch niet aandoen om haar halve leven in vijf minuten uit de doeken te doen? Dat zou respectloos zijn."

Ik knik gedwee, maar baal als een stekker. Nu moet ik niet alleen nog een keer een avond met Björn doorbrengen – wat door mij nog altijd hardnekkig als een opoffering wordt beschouwd – maar weet ik ook nog steeds niet hoe het met Elsbeth en Arend afliep. Ik had me er juist zo op verheugd het hele verhaal te horen!

Björn ziet mijn teleurstelling en pakt mijn hand. Mijn eerste reflex is om zijn hand stevig vast te grijpen en niet meer los te laten, maar meteen herinner ik me de afspraak die ik met mezelf heb gemaakt en ik wurm mijn hand los uit zijn greep. Hij zendt me een gekrenkte blik.

„Ik zou vrijdagavond kunnen," zegt hij dan, zonder zijn agenda te raadplegen. „Jij?"

„Nee," is mijn stuurse antwoord. Natuurlijk kan ik wel, maar ik wil hem niet het idee geven dat ik elk moment tot zijn beschikking sta. „Ik heb niet zoveel tijd."

„Dat is jammer. Ik dacht dat je het eind van het verhaal wel graag zou willen horen."

Nu, ja. Ik wil het nú horen!

„Nou ja, het hóeft natuurlijk niet," zegt Björn, terwijl hij de serveerster wenkt. „Al moet ik zeggen dat je niet weet wat je mist."

„Oké, ik kan vrijdag wel," hap ik veel te snel toe. „Ik bedoel, ik zal mijn afspraak verzetten."

Björn knikt tevreden en maakt een handgebaar naar de toegesnelde serveerster. Ze verdwijnt meteen weer. Ik frons mijn wenkbrauwen. Heeft hij zich nu toch weer bedacht?

„Ik heb mijn koffie nog niet op," verklaart Björn. „Jij trouwens ook niet."

Ik neem een grote slok van mijn inmiddels lauwe Irish coffee. Björn lacht naar me en steekt zijn hand uit. Voor ik doorheb wat er gebeurt, strijkt hij met zijn vinger over mijn bovenlip. „Schuim," zegt hij met een diepe stem en mijn hart mist een slag.

Ik knik wat en veeg zelf een paar keer over mijn lip om er zeker van te zijn dat mijn snor verdwenen is. De plek waar Björn me heeft aangeraakt, voelt aan alsof er spontaan brand is uitgebroken.

Björn houdt zijn hoofd schuin en kijkt me vragend aan. „Waar denk je aan?"

„Niks," lieg ik. „Ik moet die afspraak die ik vrijdag heb, zien te verzetten. Dat zal nog niet makkelijk worden."

„Je moet iets overhebben voor een mooi verhaal," vindt Björn en ik kan geen zweempje spijt of schuldgevoel in zijn gezicht ontdekken. Ik knik en weet niet wat ik moet zeggen.

Gelukkig neemt Björn het woord. „Ik ben blij dat jij degene bent die mijn oma's bestekset heeft gevonden. Na haar dood wilden we eigenlijk alles bewaren dat van haar is geweest, maar mijn moeder en ik hadden er zelf geen ruimte voor. We hebben toen heel veel weggedaan. Gelukkig zijn de brieven, waarvan we niet eens wisten dat ze bestonden, gevonden door iemand die ze op waarde weet te schatten. Jij bent tenminste niet zo oppervlakkig dat je ze meteen weggooit."

Ik wriemel wat aan mijn servet. „Ach, weet je, ik ben gewoon veel te nieuwsgierig. Toen ik je moeder belde, verwachtte ik eigenlijk dat ze meteen de hoorn erop zou gooien."

Björn kijkt me serieus aan. „Gelukkig heeft ze dat niet gedaan. Dan zouden we hier niet samen zitten." Hij houdt mijn blik lang vast en ik ben in één klap buiten adem. Zelfs als ik iets had verzonnen om te zeggen, dan had ik het niet gekund.

Uit het niets duikt ineens de serveerster op naast de

tafel. Het moment is voorbij en ik schraap een beetje gegeneerd mijn keel. Björns uitwerking op mij is niet goed voor me, stel ik vast. Ik kan maar beter snel gaan voor ik dingen doe die in gaan tegen alles wat ik met mezelf had afgesproken.

„De rekening, graag," zeg ik snel tegen de serveerster, voor Björn de kans krijgt nog meer koffie te bestellen.

Ze knikt en loopt weg. Ik durf Björn niet aan te kijken, maar ik voel hoe zijn blik op mij rust. Ik veins grote interesse voor de vloerbedekking.

Als de serveerster terugkomt met de rekening, graai ik naar het bonnetje, maar Björn is sneller. „Je hebt me een onverwacht leuke avond bezorgd en daarom betaal ik," verklaart hij en hij duldt duidelijk geen tegenspraak.

Ik haat het om bij hem in het krijt te staan. „Vrijdag betaal ik," laat ik hem daarom weten. Hij knikt alleen maar en legt zijn creditcard neer. Ik kreun zonder geluid te maken – nog meer tijd voor we weg kunnen.

Ik zie aan Björn dat hij de verandering in mijn gedrag heeft opgemerkt en dat hij een verklaring wil, maar die krijgt hij niet. 'Ik heb ineens vastgesteld dat ik je heel erg aantrekkelijk vind en moet nu, om mezelf in de hand te houden, heel snel wegwezen, omdat ik nou eenmaal heb besloten niet langer aan mannen te doen,' klinkt vast niet als iets wat hij graag wil horen.

Uiteindelijk is de rekening dan betaald en kunnen we gaan. Björn houdt mijn jas voor me op en laat deze ook niet los als ik hem al aan heb. Zijn warme handen branden door de stof heen en ik denk heel snel aan mijn lelijke, oude buurman om het trillen van mijn handen weer onder controle te krijgen.

„Mijn fiets staat daar," wijs ik als we buiten staan. „Ik laat je weten waar we vrijdag heen gaan, oké?"

Ik wil weglopen, maar Björn pakt mijn arm en trekt me naar zich toe. „Heb ik iets verkeerds gezegd?" vraagt hij, als ik zo dicht bij hem sta dat ik opgedroogde flintertjes gel in zijn kortgeknipte haar kan zien zitten.

Ik schud mijn hoofd. „Nee, hoor," zeg ik schor. „Maar je zei net dat je morgen vroeg op moet en ik wil je niet langer ophouden. Daarom kan ik beter gaan."

„Oh, is dat het?"

Het klinkt als een vraag, maar ik geloof niet dat Björn antwoord verwacht. Hij is ook niet van plan om me los te laten. In feite staan we maar een beetje te staan. Mijn hart bonst in mijn keel en ik doe een dappere poging om mijn verstand te laten zegevieren. Meestal gaat het helemaal mis als ik mijn gevoel volg en ik weet zeker dat vanavond geen uitzondering op die regel vormt.

Maar dan buigt Björn een beetje naar me toe en het volgende moment voel ik zijn zachte lippen op de mijne. Mijn verstand laat het hopeloos afweten.

9

Ik word wakker van een raar tikgeluid dat ik niet kan thuisbrengen. Ik draai me om en ga op de tast op zoek naar mijn telefoon, die altijd naast mijn bed ligt, maar ik vind niets. Als ik mijn hand terugtrek, kom ik langs iets kouds en hards, dat het volgende moment met veel gerinkel op de grond valt. Ik ben in één klap wakker. Hier klopt iets niet!

Ik schiet overeind en knipper even met mijn ogen tegen het felle licht. In een reflex trek ik de deken op tot aan mijn kin, al ben ik alleen in de mij totaal onbekende kamer. Ik knijp hard in mijn arm, maar er gebeurt niets. Ik droom niet. Maar waar ben ik in vredesnaam?

Dan valt me het geluid van stromend water op, in de kamer naast mij. Het tikken waarvan ik wakker ben geworden, is afkomstig van de waterleiding. Heel langzaam komen er stukjes terug van de vorige avond. In mijn hoofd is een hamer actief die stap voor stap mijn hele schedel bewerkt. Zoveel heb ik toch niet gedronken? Ik probeer het me te herinneren, maar dat lukt niet echt. Misschien is dat een signaal.

Ik ga weer liggen en denk aan Björn, die in de kamer naast me onder de douche staat. Naakt. Die gedachte brengt aangename sensaties teweeg, die me doen denken aan gisteravond.

Ik sla de deken terug en loop naar de badkamer. Björn houdt wel van een beetje design, zo te zien. De tegels, die duidelijk niet van de Gamma komen zoals de mijne, hebben een smaakvolle crèmekleur, die terugkomt in het bad en de twee wasbakken. Dat bad is trouwens niet zomaar een bad, maar eentje met vele mogelijkheden, volgens het bedieningspaneel aan de zijkant. Je kunt alleen al op zes verschillende standen bubbels krijgen. Ik krijg visioenen van mijzelf met Björn in dit bubbelbad. Hoe heb ik ooit mannen kunnen afzweren? Ze zijn heus niet allemaal vreselijk. Ik maak een mentale aantekening dat ik straks Lily en Sasja hun gelijk moet geven. Ze zullen uit hun dak gaan van vreugde als ze horen waar ik de nacht heb doorgebracht.

Het deurtje van de douche – voor Björn uiteraard geen verlept gordijn zoals in mijn eigen badkamer – is beslagen en de damp ontneemt me het zicht op Björns lichaam. Ik aarzel. Zal ik het deurtje openduwen en heel brutaal bij hem gaan staan? Of bied ik mezelf dan wel heel makkelijk aan en moet ik bij mijn *hard-to-get* strategie blijven? Aan de andere kant: zo *hard* was ik niet *to get* en dat heeft Björn ook gemerkt.

Ik wik en weeg nog steeds als Björn de douche uitzet en het deurtje ineens openzwaait, in mijn richting. Ik kan nog net op tijd achteruit springen. Björn kijkt me geschrokken aan.

„Jemig!" vaart hij dan tegen me uit. „Wat sta je daar nou?"

„Ik eh..."

„Ik schrik me rot!" Geïrriteerd pakt Björn een handdoek, die hij om zijn middel slaat. „Ik dacht dat je al weg was."

Nu is het mijn beurt om geschokt te zijn. „Ik lag nog in je bed," zeg ik, en terwijl ik het zeg vraag ik me af waarom ik dat eigenlijk moet uitleggen. „Sorry, hoor," voeg ik er geërgerd aan toe.

Björn pakt nog een handdoek en begint zich af te drogen. Ik voel me ineens vreselijk stom en vlucht snel de douche in. Met een klap sla ik het deurtje dicht, hopend dat het daardoor niet uit zijn scharnieren zal schieten. Ik draai de kraan open en zorg dat het water zo warm mogelijk is, zodat de plastic wanden snel beslaan en ik net als Björn de grote verdwijntruc kan doen. Wat doe ik hier? In één moment van zwakte is mijn gevoel met me op de loop gegaan en meteen zit ik weer in een situatie waar ik níet in wil zitten. Ik kan mezelf wel voor mijn kop slaan dat ik niet beter heb opgelet.

„Doei!" hoor ik Björn even later roepen. Ik geef geen antwoord. Hij zegt niets over vrijdag. Ik begin er ook niet over. Hij zoekt het maar uit.

Zodra Björn het huis heeft verlaten, draai ik de douche uit. Met een handdoek om mijn lichaam en nog een om mijn natte haar, struin ik het huis door op zoek naar een klok.

Kwart voor acht! Ik mag wel opschieten. Vandaag geven Pepijn en Sjors de eerste presentatie voor die geheimzinnige nieuwe klant, met wie ze al tijden in gesprek zijn. Ik heb nog geen idee wie hij is en ik barst dan ook van nieuwsgierigheid. Als hij met zoveel tamtam wordt gepresenteerd, dan moet het wel een heel vette vis zijn, die Pepijn heeft binnengehaald. Ik hoop stiekem dat ik de campagne mag voorbereiden. Alhoewel Emily de beste papieren heeft; zij werkt drie jaar langer dan ik bij Visser & Visser.

Ik zoek mijn kleren van gisteravond bij elkaar en probeer ze zo te fatsoeneren dat ze best nog een dagje kunnen. Gelukkig ben ik met het jurkje en de enorme hakken op een dag als vandaag niet overdressed. Eigenlijk is het precies de goede outfit voor de gelegenheid.

Ik zoek Björns badkamer af in een poging een föhn te vinden, maar die blijkt hij niet te hebben. Er zijn sowieso geen vrouwenspullen te vinden, wat me enigszins geruststelt. Björn mag dan een arrogante zak zijn, hij is tenminste geen oplichter die er een vriendin op na blijkt te houden.

Ik breng mijn haar in model met mijn vingers en wat supersterke powergel, die garant staat voor Björns onberispelijke kapsel. Gelukkig ga ik de deur niet uit zonder een halve schoonheidssalon in mijn handtas en ik haal een flinke voorraad make-up tevoorschijn. Björns na-het-scheren dagcrème zorgt er gelukkig voor dat mijn huid er iets minder dof uitziet en daarna ga ik kwistig met make-up aan de slag, zodat niemand vandaag ziet dat ik niet langer dan vier of vijf uur geslapen heb. Mijn lichaam reageert meteen weer op de gedachte aan afgelopen nacht, maar deze keer roep ik mezelf streng tot de orde. Ik heb een ernstige inschattingsfout gemaakt. Vanaf nu leef ik als een non.

Net als ik goedkeurend het resultaat van mijn inspanningen in de spiegel bekijk, hoor ik op de slaapkamer mijn telefoon rinkelen. Björn, is het eerste wat ik denk. Maar het is Sasja.

„Hoe was het?" wil ze weten. „Ben je thuis? Dan kom ik naar je toe!"

Ik wijs haar erop dat a) voor normale mensen de werkdag op het punt staat te beginnen en b) als dit een vrije dag was geweest, ze me nu wakker had gebeld. Het lijkt haar weinig te interesseren. „Ik ben niet thuis," geef ik dan met een zucht toe.

„Ben je al op je werk? Dat is ook vroeg."

„Nee, ik ben ook niet op mijn werk."

Het is even stil, maar dan valt het kwartje bij Sasja. Ze slaakt een kreet, die pijn doet in mijn oor. „Ben je bij hém?" vraagt ze ongelovig.

„Inderdaad. En ik ben ontzettend stom geweest."

„Oh oh."

„Nee, ik ben niet zwanger. Maar ik had gewoon nooit met hem mee naar huis moeten gaan."

„Oh nee, niet zo beginnen," zegt Sasja streng. „Eindelijk heb je dan weer eens een leuke man ontmoet en dan ga je hem tot op het bot afkraken, omdat zijn huis misschien een of twee dingetjes bevat die jij niet mooi vindt. Zo wordt het nooit wat, Sas."

„Dat is het niet," zeg ik snel, terwijl ik probeer met één hand mijn schoenen aan te trekken. „Hij is echt heel onaardig. Gisteravond merkte ik dat al, maar na een tijdje deed hij veel leuker en toen... Nou ja, ik had misschien iets te veel gedronken."

„En nu?"

Ik haal mismoedig mijn schouders op. „Ik weet het niet. Het probleem is dat ik nog steeds niet het hele verhaal van Elsbeth en Arend heb gehoord. Net toen het spannend werd, waren we klaar met eten. Björn stelde voor om vrijdag opnieuw af te spreken, zodat hij het eind kon vertellen."

„Jemig, hij is niet echt van de subtiele hints, hè?" merkt Sasja op. „Blijkbaar vond hij je echt heel leuk."

Ik schud driftig met mijn hoofd, maar dat kan Sasja natuurlijk niet zien. „Zo leuk vond hij me niet, hoor. Vanochtend deed hij alsof ik een of andere indringer in zijn huis was. Hij zei letterlijk: 'Ik dacht dat je al weg was.' Dat getuigt toch niet van al te veel liefde, wel?"

Daar moet Sasja even over nadenken en ik maak van de gelegenheid gebruik om mijn jas aan te trekken. Even kijk ik rond in Björns ruime, smaakvol ingerichte appartement. In films zou de hoofdpersoon nu vast even van de gelegenheid gebruikmaken om iets te vernielen, zodat haar arrogante tegenspeler weet dat met haar niet te sollen valt. In het echt durf ik dat niet, omdat alles er duur uitziet en Björn me vast een rechtszaak aandoet vanwege een vernielde mingvaas. Zei hij niet dat hij iets met rechten deed? Of verzekeringen? Nou ja, hoe dan ook, ik laat alles op z'n plek staan en trek resoluut de voordeur achter me dicht.

„Sas, luister je eigenlijk wel?" vraagt Sasja, die tegen me aan het praten was terwijl ik de voor- en nadelen van het kapotsmijten van een vaas tegen elkaar aan het afwegen was. Ik heb geen idee wat ze gezegd heeft.

„Je viel even weg," lieg ik. „Maar nu hoor ik je weer. Ik ben buiten, ik moet naar m'n werk, maar ik weet niet eens in welke straat ik ben. Laat staan in welke buurt!"

„Hoe ben je daar gisteravond gekomen?" vraagt Sasja met een stem vol verbazing. Ik ken haar goed genoeg om te weten dat ze in haar hoofd al oefent wat ze zo meteen tegen Lily, Sebastiaan, Peter en Bart gaat vertellen. Het duurt maximaal drie minuten voordat ze hen op de hoogte heeft gebracht van wat mij is overkomen. En elke keer als ze het vertelt, zal ze het nét even mooier maken.

„Met een taxi," herinner ik me. „Mijn fiets staat nog op de Keizersgracht."

„Dan moet je nu ook een taxi zien te vinden om naar je werk te gaan," zegt Sasja praktisch. „Vandaag heb je toch die presentatie van die mysterieuze nieuwe klant?"

„Gelukkig wel," verzucht ik. Dat zal mijn gedachten misschien een heel klein beetje afleiden van het debacle met Björn.

Het blijkt dat ik mij in Amsterdam Oud-Zuid bevind, niet ver van de Willemsparkweg. Voor de eerste keer vandaag heb ik een beetje geluk en stopt er een taxi recht voor mijn neus. Ik stap in en negeer een man in pak, die aan komt rennen en gebaart dat hij vervoer nodig heeft.

Een kwartier later zet de chauffeur me af voor het kantoor van Visser & Visser. Als ik binnenkom, is iedereen er al. Ze kijken me allemaal aan en van mijn plan om snel naar mijn plek te *sneaken* komt weinig terecht.

„Laat jij je tegenwoordig door een chauffeur hier afzetten?" wil Sjors weten en de rest moet hartelijk om zijn opmerking lachen.

Ik mompel iets over een fiets die kapot is en een lekke band en maak me snel uit de voeten. Ik heb een vlek ontdekt op mijn jurkje, die ik op een of andere manier moet zien te verwijderen voor de presentatie begint.

Als ik in de toiletruimte bezig ben met koud water de vlek eruit te schrobben, gaat de deur open. Emily kijkt me bezorgd aan. „Gaat het wel goed met je, Sas?"

„Hè?" vraag ik snel, waarbij ik onschuldig met mijn ogen knipper. „Ja hoor, niets aan de hand. Ik had me alleen verslapen en toen heb ik zomaar iets uit de kast getrokken. Maar daar zit dus nu een vlek op, zie ik en..." Ik praat te veel en te snel, besef ik. Emily lijkt niet echt gerustgesteld.

„Wat?" vraag ik haar en ze frummelt aan haar haar.

Met een ruk kom ik overeind en ik kijk mezelf aan in de spiegel. Mijn haar, dat een halfuur geleden nog netjes over mijn schouders hing, is inmiddels opgedroogd. Boven op mijn hoofd zit het aan mijn huid vastgeplakt, terwijl het onderaan juist zo wijd uitstaat, dat het een wonder mag heten dat ik in één keer door de deuropening paste. De powergel is opgedroogd tot een bikkelharde substantie, die niet in model te brengen is, maar die je wel heel leuk doormidden kunt breken. Samen met mijn haar.

„Oh nee," kreun ik. „En dat net voor die belangrijke presentatie."

Ik werp een blik op Emily, die er onberispelijk uitziet. Als de grote opdrachtgever mag kiezen wie de campagne gaat maken, kan ik beter meteen mijn spullen pakken.

„Laat mij maar even." Emily verdwijnt, maar komt even later terug met een arm vol flesjes, potjes en spuitbussen.

Ik kijk haar vragend aan.

„Bureaula," is de verklaring.

Ik stel geen vragen meer, maar laat Emily haar gang gaan. Verbaasd bekijk ik tien minuten later het eindresultaat in de spiegel. Ik geloof dat mijn haar nog nooit zo goed heeft gezeten.

„Ik heb ooit een korte cursus tot kapster gedaan," zegt Emily. „Maar ik vond het stomvervelend, dus nadat ik het certificaat had gehaald, heb ik nooit meer een schaar aangeraakt."

„Je hebt talent," zeg ik, terwijl ik bewonderend naar mezelf in de spiegel kijk. „Ik maak een verpletterende indruk op onze nieuwe klant. Kun je vanaf nu niet elke ochtend mijn haar doen?"

Emily steekt haar tong uit, grabbelt al haar spulletjes bij elkaar en loopt terug naar onze werkplek. Ik volg haar op de voet en probeer uit te vissen of zij al iets meer weet over de nieuwe klant, maar ze is net zo blanco als ik.

„Zijn jullie er klaar voor?" wil Pepijn weten, als ik nog maar net mijn computer heb opgestart. Ik heb een mail van Lily, zie ik, die ik eigenlijk eerst wil lezen, maar toch knik ik.

„Laten we gaan," stelt mijn baas voor. „Het laatste wat we willen, is te laat komen. Ik heb twee taxi's geregeld." Hij kijkt naar mij en ik zet me schrap voor de lollig bedoelde opmerking die gaat komen, maar tot mijn verbazing zegt Pepijn niets en loopt hij weg. Mijn hemel, hij is écht gespannen.

Emily en ik wisselen een blik van verstandhouding. Als Pepijn al zenuwachtig raakt, dan moet het een wel heel bijzondere klant zijn. Het zou me niet eens meer verbazen als het koningin Beatrix *herself* was, die zo meteen de presentatie zal bijwonen.

Ik sluit de computer maar weer af en trek mijn jas aan. Samen met Emily stap ik in de gereedstaande taxi. Sjors gaat voorin zitten. Pepijn neemt samen met onze andere collega's de tweede taxi.

„Wat zit je haar leuk," zegt Sjors, en hij meent het ook. Ik voel even aan mijn kapsel, dat nog onberispelijk in model zit en zend Emily een dankbare blik. Ze glimlacht en kijkt weer uit het raam. Wat heeft iedereen vandaag? Emily is ook al zichzelf niet. En waarom wil niemand ons vertellen wie toch die geheimzinnige opdrachtgever is?

„Ik heb hem nog nooit zo gezien," fluister ik tegen Emily, als we op de tweede rij zitten in een vergaderzaal in het Hilton Hotel, die Pepijn en Sjors voor de gelegenheid hebben gehuurd. Pepijn loopt zenuwachtig heen en weer en checkt wel vijf keer de beamer en de PowerPoint-presentatie op zijn laptop. Ik probeer een paar keer zijn blik te vangen, maar hij negeert me. In plaats daarvan dwaalt zijn blik door de zaal, die steeds verder vol druppelt met mensen van het bedrijf van de opdrachtgever. Te oordelen naar het feit dat Sjors en Pepijn nog aan het dubbelchecken zijn of de presentatie nog wel op de computer staat, is de grote baas nog niet gearriveerd.

„Volgens mij komt hij eraan," zegt Emily een paar tellen later tegen me, als Sjors druk in zijn mobiele telefoon praat en naar Pepijn gebaart. Ze verlaten samen de zaal en onwillekeurig draai ik nerveus mijn koffiekopje rond in mijn hand. Ik ben nu toch wel heel erg nieuwsgierig naar onze nieuwe klant, of bijna-klant moet ik eigenlijk zeggen. Pas als hij de presentatie die Pepijn en Sjors vandaag gaan geven goed vindt, mogen we hem officieel onze nieuwe klant noemen, heeft Emily me verteld.

Vandaar de stress.

Ik diep mijn telefoon op uit mijn tas en controleer mijn berichten. Lily heeft een paar keer gebeld, waarschijnlijk om het verhaal uit de eerste hand te horen. Ik sms haar dat ik de komende twee uur niet bereikbaar ben, maar dat ik haar daarna zal bellen. Ik heb ook een berichtje van Sasja, die wil weten of ik nog op mijn werk aangekomen ben. Ik heb geen tijd om te antwoorden, want op dat moment komt Pepijn de zaal weer binnen, op de voet gevolgd door Sjors en de man die naar alle waarschijnlijkheid onze nieuwe grote opdrachtgever zal worden.

Dit kan niet waar zijn.

Ik kijk om me heen of mensen beginnen te lachen om deze slechte grap, maar iedereen is bloedserieus.

Zit ik in Bananasplit of zo?

Voor in de zaal, tussen Pepijn en Sjors in, staat Björn. Gekleed in het donkergrijze pak, dat ik krap een paar uur geleden nog aan de deur van zijn kledingkast heb zien hangen. En in zijn haar dezelfde gel als in het mijne.

Ik weet niet waar ik moet kijken. Mijn hoofd loopt rood aan en ik krijg vlekken in mijn nek. Gelukkig kijkt iedereen naar de drie mannen voor in de zaal. Ik graai naar mijn telefoon, die ik net had opgeborgen, en stuur Sasja een nood-sms.

Björn is onze nieuwe klant. HELP ME!!!

Nog geen minuut later komt het antwoord.

Ik lig in een deuk! Heeft hij je al herkend?

Emily stoot me aan, net als ik een sms'je terug wil sturen. „Ze gaan beginnen," sist ze en ik durf niet meer naar mijn telefoon te kijken. Spijtig laat ik hem in mijn tas glijden. Ik zie Sasja voor me, liggend op de bank, gierend van de lach. Ooit, lichtjaren van nu, zal ik misschien ook kunnen lachen om dit vreselijke toeval.

„Is er iets?" fluistert Emily naar me. „Je ziet bijna paars. Gaat het wel?"

Ik knik en kan geen woord uitbrengen. Emily richt haar aandacht weer op Björn. „Ik ken hem helemaal niet. Jij?"

„Nee!" zeg ik hardop, waardoor op de rijen voor en achter me geïrriteerd gesis klinkt. „Nee," herhaal ik zachter. „Ik ken hem ook niet. Nooit gezien, nog. Geen idee wie hij is."

Voor het eerst ben ik blij dat Emily de betere papieren heeft om deze campagne op zich te nemen. Ik moet er niet aan denken met Björn te moeten samenwerken.

Hoelang zal het duren voor mijn collega's alles weten over mijn liefde voor rommelmarkten en mijn wens om het verhaal van Elsbeth en Arend te horen? Ik moet er niet aan denken. Het is absoluut noodzakelijk dat ik Björn te spreken krijgt voor hij een boekje opendoet over mij. Wat lastig te combineren is met mijn voornemen om nooit meer een woord met Björn te wisselen. Het ziet ernaar uit dat ik mijn principe zal moeten laten varen.

Ik staar nog altijd naar mijn handen, omdat ik niet naar Björn durf te kijken. Maar uiteindelijk hef ik mijn hoofd een klein beetje op en gluur door mijn oogharen. Pepijn en Sjors starten hun presentatie op en Björn rinkelt met zijn koffiekopje. Hij staat er volkomen ontspannen bij, in tegenstelling tot mijn twee bazen, die ik nog nooit zo gestrest heb gezien.

Zonder dat ik het wil, hoor ik Björns stem in mijn hoofd.

„... verzekeringen..." hoor ik hem weer zeggen. „... heel saai..."

Ik hoor ook mijn eigen stem. „... Pranks... heel vies...

meelballen..." Oh nee! Ik heb openlijk een van onze klanten afgekraakt ten overstaan van de man die een van de grootste opdrachtgevers zou kunnen worden die Visser & Visser ooit heeft gekend.

Eindelijk durf ik mijn hoofd op te heffen. Ik ontmoet natuurlijk meteen Björns blik. Mijn wangen voelen warm aan en mijn huid onder mijn jurkje prikt. Ik slik en weersta de neiging om meteen mijn ogen neer te slaan. Hij trekt even zijn wenkbrauwen op als teken van herkenning en pakt daarna een stapeltje papieren, dat hij blijkbaar duizendmaal interessanter vindt dan de vrouw naast wie hij die ochtend na een, vind ik zelf, nogal heftige nacht wakker is geworden.

Naast schaamte voel ik nu ook boosheid. Als ik me niet vergis was het voor Björn bepaald geen straf om met mij het bed te delen, en waar haalt hij het lef vandaan om me nu praktisch te negeren?

Pepijn en Sjors vragen Björn om op de eerste rij plaats te nemen, schuin voor mij. Ik ruik zijn aftershave – dezelfde als hij gisteravond droeg en ook dezelfde waarmee vanochtend de badkamer gevuld was. Ik probeer de herinneringen die de geur teweegbrengen terug te dringen, maar ik kan het niet helpen dat ik Björn en mij weer voor me zie, zoenend op de brug voor het restaurant. En later, zoenend in de taxi.

Ik schud mijn hoofd om de herinneringen kwijt te raken. Gelukkig beginnen Sjors en Pepijn hun presentatie. „Hartelijk welkom," zegt Pepijn met een onzekere blik naar de zaal. „Wij van reclamebureau Visser & Visser voelen ons vereerd dat we deze presentatie mogen geven aan de top van De Vriesch Verzekeringen, en we hopen natuurlijk van harte..."

De rest van zijn praatje gaat langs me heen. De Vriesch

Verzekeringen? Is Björn dáár de baas van? Dat is een enorm bedrijf met honderden medewerkers!

Ik ben ineens heel blij dat ik zijn vaas niet stukgesmeten heb. Het is waarschijnlijke een echte Ming.

Pepijn heeft zijn inleiding gehouden en Sjors start de presentatie. Avond aan avond hebben ze samen aan deze presentatie zitten werken en ik moet toegeven dat ze prachtige dingen hebben verzonnen. Als Björn niet de grote baas was bij Vriesch, zou ik dolgraag de uitwerkingen van hun ideeën op me nemen. Het is een creatieve uitdaging van jewelste, maar ik ben nog nooit zo blij geweest dat iets aan mijn neus voorbijgaat.

De presentatie van Pepijn en Sjors duurt anderhalf uur en aan het eind ervan is er applaus van Björn en de minstens dertig medewerkers die met hem meegekomen zijn. Ik zie Pepijn en Sjors glunderen en steek mijn duim naar ze op. De opdracht is in de *pocket*, als je het mij vraagt.

Dan staat Björn op en loopt naar voren. Hij schudt Pepijn en Sjors de hand en vraagt de microfoon.

Ik zak een beetje onderuit, zodat ik me precies achter de lange man voor me kan verschuilen. Misschien is Björn vergeten dat ik er ben. Heel misschien.

10

„Doet-ie het?" schalt Björns stem ineens door de zaal. Dezelfde stem waardoor ik me gisteravond het hoofd op hol heb laten brengen. Ik gluur onopvallend naar hem. Ongelooflijk, wat is hij knap.

En onbetrouwbaar.

Hij wíst het! Hij wist dat hij vandaag deze presentatie zou bijwonen. Hij wist dat hij Visser & Visser wilde inhuren voor de reclamecampagne van zijn enorme verzekeringsonderneming – waarvan hij deed alsof het een klein en onbeduidend bedrijfje was – en nadat ik het hem zelf had verteld, wist hij ook dat ik onderdeel uitmaak van het team van het reclamebureau. En al die tijd heeft hij gewoon doodleuk zijn mond gehouden.

Ik schrik op uit mijn gedachten door een harde por van Emily in mijn zij. „Je mag best wat vriendelijker kijken naar onze nieuwe klant, hoor," fluistert ze. „Sodeju, wat heb jij een chagrijnig gezicht. Waar denk je aan?"

„Niets," brom ik zacht. „Laat maar." En ik zet mijn allerstralendste glimlach op. Gelukkig is dat les één in de reclamebranche: al is je hond overreden, je kapsel geruïneerd door een sneeuwstorm, je dure rok naar de filistijnen door een koffievlek en maakt tot overmaat van ramp je vriend het twee dagen voor je bruiloft uit, naar de opdrachtgever wordt altijd en immer gelachen.

„Soms vang je een verhaal op," begint Björn en ik kreun inwendig. Daar heb je het al. Zo meteen zet hij mij ten overstaan van de hele zaal voor schut.

„Soms vang je een verhaal op, waarvan je niet weet hoe het begint of eindigt, of waar het vandaan komt. Het enige dat je weet, is dat je er het fijne van moet weten. Het zijn vaak dat soort verhalen, die moeilijk te achterhalen zijn, maar ze zijn absoluut de moeite waard om meer moeite voor te doen dan voor welk verhaal ook."

Zijn blik glijdt door de zaal en blijft dan op mij rusten. Ik kan wel door de grond zakken. Door mijn slijmerige glimlach heen, zend ik Björn een vernietigende blik. Hij fronst zijn wenkbrauwen en doet of hij me niet begrijpt.

„Voor zo'n verhaal ga je meer moeite doen," gaat hij dan verder. Het is doodstil in de zaal en ik wacht met mijn ogen dicht op de genadeslag.

En daar zit de vrouw die zich zo door een verhaal liet meeslepen, dat het nog maar een koud kunstje was om haar in bed te krijgen.

Iedereen zal naar me kijken en me uitlachen. Pepijn en Sjors zullen me willen vermoorden, omdat we de opdracht mislopen en de rest van de aanwezigen heeft de komende jaren een mooi verhaal om op saaie verjaardagen de blits mee te maken. Mijn leven is voorbij. Ik emigreer naar de Zuidpool.

„Zo'n verhaal was het succes van Visser & Visser," zegt Björn dan en ik open mijn ogen. „Visser & Visser heeft de laatste tijd een paar geweldige campagnes de wereld in gestuurd en daarom wilde ik meer weten van dit reclamebureau. Ik wist meteen al dat wij heel veel voor elkaar kunnen betekenen en daarom doet het mij deugd officieel te melden dat De Vriesch Verzekeringen de komende twee jaar al zijn campagnes laat ontwikkelen en uitvoeren door reclamebureau Visser & Visser. Applaus!"

Er wordt druk geklapt en ik merk tot mijn verbazing dat mijn handen ook meedoen.

Björn heft zijn hand en meteen wordt het weer stil in de zaal. „Ik weet dat ik Visser & Visser met een belachelijke hoeveelheid werk zal opzadelen, zeker de komende tijd. Ik wil een vliegende start maken om De Vriesch Verzekeringen opnieuw stevig in de markt te zetten." Hij glimlacht. „De komende tijd zullen wij zoveel samenwerken met de mensen van Visser & Visser dat we niet vreemd zullen opkijken als we op een zekere dag naast elkaar wakker worden." Iedereen lacht. „Op kantoor!" verduidelijkt Björn dan, maar de blik in mijn richting spreekt boekdelen. Hij zit me hier ongelooflijk in de zeik te nemen en er is niets dat ik kan doen.

Björn is nog niet klaar. „Ik heb al de eer gehad om kennis te maken met enkele medewerkers van Visser & Visser en ik moet zeggen: ze weten van aanpakken! Ze leveren geen half werk, zal ik maar zeggen. Als ze ergens aan beginnen, kun je erop rekenen dat het resultaat verbluffend zal zijn."

Flarden van wat ik vannacht heb uitgekraamd, komen terug in mijn hoofd. Ik staar strak naar de neuzen van mijn pumps en doe alsof ik niet besta.

„Goed, laten we proosten op een vruchtbare samenwerking," stelt Björn voor en hij heft een glas jus d'orange. Iedereen volgt zijn voorbeeld, vooral Pepijn en Sjors, die hem aankijken alsof hij hun nieuwe idool is.

Twee jaar. De komende twee jaar zit ik aan hem vast. In gedachten oefen ik vast mijn ontslagbrief.

„Die vuile leugenaar!" gil ik in mijn telefoon. „Hij heeft me helemaal niets verteld en nu zit ik de komende twee jaar aan hem vast."

„Waar ben je?" informeert Sasja praktisch. „Zal ik naar je toe komen?"

„Kan niet," mopper ik, „ik ben nog in het Hilton. Björn is hier ook nog, geloof ik."

„Kijk maar uit met wat je zegt dan," waarschuwt Sasja. „Straks hoort hij je nog en dan ben je de sigaar."

„Dan moet hij zich wel in de dameswc's bevinden. Trouwens, ik zie hem er nog voor aan ook. Hij is niet te vertrouwen, Sas."

„Welnee," probeert mijn vriendin me een beetje tot bedaren te brengen. „Hij weet vast wel zijn fatsoen te houden. Hij is de baas van een groot bedrijf, Sas. Die laat zich echt niet in het damestoilet betrappen."

„Hij is een gluiperd," is mijn stellige antwoord. „Ik vertrouw nooit meer een man, als je dat maar weet. Ik had beter naar mezelf moeten luisteren."

Sasja giechelt. „Volgens mij heb je iets te goed naar jezelf geluisterd. Naar je gevoel, welteverstaan."

„Ja ja, maak er maar grapjes over." Ik ontmoet mijn chagrijnige blik in de spiegel en trek een nog bozer gezicht. „Zo lollig is het allemaal niet. Ik denk dat ik mijn baan zal moeten opzeggen. Björn is straks voortdurend bij ons op kantoor. Dat kan ik echt niet aan, hoor!"

„Dat is hij echt niet waard, hoor," zegt Sasja verontwaardigd. „Je hebt een geweldige baan. Die ga je toch niet opgeven voor een miezerig mannetje als hij?"

„Het zal niet lang duren voor hij het hele kantoor inlicht over onze avond samen, en dan weten ze ook dat ik zo geschift ben dat ik eerst op een rommelmarkt een oude bestekset koop en vervolgens ook per se moet weten waar de brieven vandaan komen, die erin zitten. Waarom hebben jullie me trouwens niet tegengehouden?"

„Eeh..."

„Ik heb mezelf compleet belachelijk gemaakt. Het is een geluk bij een ongeluk dat ik waarschijnlijk niet direct betrokken zal zijn bij Björns campagne. Dit is zo'n belangrijke opdracht en Emily heeft meer ervaring, dus ik ga ervan uit dat Pepijn en Sjors haar vragen."

„Dan is het allemaal niet zo erg als jij denkt, hoor," zegt

Sasja optimistisch. „Je doet gewoon elke keer als Björn er is, demonstratief de deur van jullie kamer voor zijn neus dicht. Doe alsof je een mega-besmettelijke ziekte hebt of zo. Of zeg dat je hoogsensitief bent en dat je niet kunt werken met geroezemoes om je heen."

„Hm, ik zal erover nadenken." Ik wil nog iets zeggen, maar op dat moment vliegt de deur van de toiletten open en sjeest Emily voorbij, met een gezicht dat tegelijkertijd spierwit en lichtgroen is.

„Sas, ik moet even ophangen," zeg ik snel. „Emily, wat is er aan de hand? Kan ik iets..."

Maar ze verdwijnt in een van de hokjes en ik hoor haar luidruchtig overgeven. Een paar minuten later komt ze weer naar buiten, nog altijd bleek, maar het groen is verdwenen.

„Sorry," zegt ze, waarna ze de kraan opendraait en een paar slokken water neemt.

Ik kijk haar onderzoekend aan. „Gaat het wel goed met je?"

Ze leunt tegen de muur en knikt dapper. „Ja hoor, ik had alleen niet moeten ontbijten vanochtend. Stom van me."

Ik weet niet zo goed wat ik moet zeggen en leg mijn hand op haar schouder. „Ben je ziek? Waarom ga je niet naar huis?"

Emily kijkt me aan en er breekt een grote glimlach door op haar gezicht. „Ziek? Welnee, joh. Ik kan het je net zo goed gewoon vertellen. Pepijn en Sjors weten het ook al." Ze kijkt me aan met een veelbetekende blik en er begint me iets te dagen.

„Ik ben zwanger," verkondigt Emily dan. „En ik voel me geweldig!" Ze loopt weer groen aan en ik zend haar een blik vol ongeloof.

„Momentje," mompelt mijn collega, terwijl ze weer in

een van de hokjes verdwijnt. Ik zie mijn eigen gezicht in de spiegel en sluit snel mijn mond, die nogal onintelligent openhing.

Emily? Zwanger? Ik verkeer in shock.

„Vind je het niet geweldig?" vraagt Emily, als ze weer is verschenen. „Ik ben er zo blij mee!"

„J-Ja. Heel geweldig." Denk ik. In mijn hoofd ontwikkelt zich een gedachte die ik heel graag nog even op afstand zou willen houden. Als Emily zwanger is, dan...

„Pepijn wil dat jij die opdracht voor De Vriesch Verzekeringen op je neemt," bevestigt Emily mijn angstige vermoeden. „Het is voor langere tijd en ik ben straks natuurlijk weg." Ze aait over haar hyperplatte buik, waarin zich blijkbaar een paar millimeter aan baby bevindt.

Ineens zie ik Emily voor me met een champagneglas in haar hand, inmiddels een vertrouwd beeld tijdens de diverse borrels die we samen hebben bezocht. „Maar je drinkt!" roep ik beschuldigend uit. „Je mag niet drinken!"

„Jip en Janneke bubbelsap," zegt Emily en uit haar oversized handtas trekt ze een fles tevoorschijn. „Onmisbaar voor de zwangere carrièrevrouw." Daarna kijkt ze me serieus aan. „Dit is een geweldige kans voor je, Sas. Die campagne is echt heel groot. Als je dit tot een goed einde brengt, heb je een prachtige aanvulling op je cv. Volgens mij kun je dan overal terecht waar je maar wilt werken."

Ik probeer een antwoord te verzinnen, maar gelukkig gaat de deur open en komt een van de vrouwen van De Vriesch Verzekeringen binnen. Emily en ik draaien ons razendsnel om naar de spiegel en doen alsof we onze make-up bijwerken. De vrouw keurt ons geen blik waardig. Als ik straks met háár moet werken...

Snel verlaten we de toiletten. Emily komt iemand tegen

die ze kent en druk gebarend beent ze weg op haar torenhoge hakken, die ze straks wel zal moeten vervangen door platte schoentjes. Ik probeer me Emily zonder hakken voor te stellen. Het is een beetje als appelmoes zonder appel.

„Ze zeggen dat toeval niet bestaat," hoor ik dan een stem achter me en ik verstijf. Langzaam, als in trance, draai ik me om en daar staat hij. Björn. In zijn maatpak.

Ik probeer de vlek op mijn ietwat gekreukelde jurkje te verbergen door mijn hand ervoor te houden, maar ik heb het idee dat hij dwars door me heen kijkt.

„Wat denk jij?" vraagt hij. Ik probeer te peilen wat hij nou eigenlijk wil, maar zijn ogen staan ondoorgrondelijk.

„Toeval bestaat niet," zet ik dan de aanval in. „Vooral niet als je weet dat je iemand de volgende dag tegen zult komen. Dan is het geen toeval meer."

Björn knijpt zijn ogen tot spleetjes. „Ben je boos?"

„Natuurlijk," sis ik. „Je wist dat jij en ik hier vandaag zouden zijn en op de avond daarvoor neem je niet de moeite om even te laten weten wie je bent."

„Jij hebt anders ook je mond stijf dicht gehouden."

Ik hap naar adem. „Mag ik je er even aan helpen herinneren dat ik van niets wist?"

„Oh, tuurlijk," zegt Björn spottend. „Het reclamebureau waarvoor je werkt houdt voortdurend onderhandelingen met een groot bedrijf over een enorme opdracht, maar jij wist van niets."

„Nee, echt niet," houd ik vol, terwijl ik zelf hoor dat mijn verweer wat zwak klinkt. „Pepijn en Sjors hebben tot vandaag hun mond gehouden."

„Maak dat de kat wijs," schampert Björn. „Ik vond het heel gezellig met je gisteravond en ik kan niet ontkennen dat ik een aangename nacht heb gehad, maar nu stel je me teleur, Saskia."

Er trekt een huivering door me heen als hij mijn naam uitspreekt. Ik maak mezelf wijs dat het afschuw is.

„Als je denkt dat ik je geloof, schat je me verkeerd in," gaat Björn verder. „We hebben het er gisteravond niet over gehad, omdat we allebei wisten dat we vandaag tegenover elkaar zouden zitten. Dat vond ik heel plezierig, want ik praat niet graag met mooie vrouwen over iets saais als werk. En ik ben blij dat ik je heb kunnen helpen met je geschiedkundige onderzoek, maar vanaf nu gaan we ons als volwassen mensen gedragen en daar hoort onder andere bij dat we ons niet van den domme houden."

Ik ben te verbijsterd om nog een woord te kunnen uitbrengen en omdat ik niets zeg, loopt Björn weg. Hij gaat bij een groepje mannen staan, dat meteen uiteenwijkt en plaats voor hem maakt. Een paar seconden later voert Björn het hoogste woord.

Van pure boosheid springen de tranen in mijn ogen en voor de tweede keer binnen vijf minuten vlucht ik de toiletten in.

„Misschien dacht hij écht dat jij het wist," suggereert Lily en ik zend haar een blik als een donderwolk. Ze houdt meteen haar mond. En terecht, want eenieder die iets positiefs zegt over Björn, verklaar ik ter plekke tot vijand voor het leven.

„Het kan toch," valt Sasja haar bij. Het idee dat Björn een onbetrouwbare, berekenende man is, en geen knappe prins op een enorm wit paard, wil er bij hen nog niet echt in.

„Het kan helemaal niet," houd ik stug vol, terwijl ik met

boze bewegingen een blaadje sla aan mijn vork prik. Een tomaatje dat eronder lag, schiet van mijn bord zo naar de grond. Ik heb geen zin om het op te rapen.

„En wat nu?" informeert Lily praktisch. Ze legt haar bestek schuin over haar bord en leunt achterover. Meteen snelt een ober toe om het bord weg te halen.

„Nu moet ik zorgen dat ik zo snel mogelijk een andere baan vind."

„Doe normaal!" roept Sasja voor de tweede keer die dag. Ze is oprecht geïrriteerd. „Je gaat toch niet je baan opzeggen voor die ploert van een Björn de Vriesch? Je hebt een droombaan, en dat weet je zelf ook. Weet je nog hoe hard je in het begin hebt moeten werken om jezelf te bewijzen?"

Dat is zo. Sjors en Pepijn waren niet bepaald vanaf dag één van me onder de indruk. Ik heb vaak genoeg werk over moeten doen tot het aan hun strenge normen voldeed.

Ik haal mijn schouders op. „Wat moet ik dan doen, volgens jullie?"

„Laat je niet kennen," is Lily's advies. „Je doet gewoon je werk, net als anders. Laat Björn vooral niet merken dat je boos bent, of teleurgesteld. Dan beleeft hij er alleen maar meer plezier aan."

„Als je nu je baan opzegt, weet hij natuurlijk meteen dat dat geen toeval is," valt Sasja haar bij. „En dan heeft hij je precies waar hij je hebben wil."

„Waar wil hij me eigenlijk hebben?" vraag ik me hardop af.

Sasja en Lily krijgen even bedenktijd omdat er een ober bij ons tafeltje verschijnt, die de nog overgebleven borden meeneemt.

„Ik denk dat hij heel graag de grote baas wil uithangen,"

zegt Lily dan nadenkend. „Ik ken die types. Jij behoort tot zijn onderdanen, die voor hem werken. Dat wist hij al toen jullie samen in het restaurant zaten, maar het was alleen erg jammer dat jij dat zelf nog niet wist."

„En omdat jij voor hem werkt, kan hij volgens hemzelf doen en laten wat hij wil," valt Sasja haar bij. „Daarom heeft hij je ook als een schoft behandeld 's ochtends."

Ik laat hun uitleg op me inwerken. Ze zouden best eens gelijk kunnen hebben. Zelf heb ik er nog steeds moeite mee om de lieve Björn van 's avonds te rijmen met de arrogante man die ik 's ochtends te zien kreeg. Sinds de presentatie, twee dagen geleden, heb ik hem niet meer gezien, maar dat zal snel veranderen. Hij heeft morgen een afspraak met Pepijn en Sjors en ook met mij, omdat Emily vanwege haar zwangerschap inderdaad deze opdracht aan zich voorbij laat gaan.

De ober informeert of we nog een dessert willen, maar we zeggen alle drie nee. Ieder van ons heeft zo haar redenen om niet te dik te willen worden. Sasja vindt het geen gezicht als een ober bijna niet meer tussen de tafels door past. Haar figuur laat het toe dat ze nog heel wat dikker kan worden voor ze die status heeft bereikt, maar zelf denkt ze dat ze heel wat omvangrijker is dan ze is.

Lily is ervan overtuigd dat Sebastiaan bij haar weggaat als ze boven de zeventig kilo uitkomt. Sebastiaan op zijn beurt laat alles wat eetbaar is zich goed smaken en zou het waarschijnlijk helemaal niet zo erg vinden als Lily qua figuur iets meer op hem zou lijken.

En ik, ik probeer mezelf niet helemaal te laten verslonzen nu ik besloten heb het komende decennium geen man meer te willen. Ik betrap me erop dat ik op vrije dagen ook al niet meer de moeite neem om mijn haar te föhnen en dat ik mijn teennagels al in geen maanden heb gelakt. Zorgen dat ik enigszins op gewicht blijf, is toch wel het minste dat ik kan doen.

„Laten we gaan," stelt Sasja voor. „Als we voor sluitingstijd nog een nieuwe outfit willen scoren, moeten we niet te lang treuzelen. Wat is de stijl van het feest dit jaar, Lily?"

Mijn vriendin haalt haar schouders op. „Weet ik veel. Ik heb aan iedereen gevraagd of ze willen zorgen dat ze er een beetje toonbaar uitzien. Dat lijkt me wel zo fijn voor de anderen."

Een beetje toonbaar, ja. Lily's feestjes staan bekend om de über-stylish geklede mensen die er komen. Die zien er niet 'een beetje toonbaar' uit, die zien eruit alsof ze net van de catwalk komen. En daar moeten Sasja en ik tussen staan in een outfit die niet té erg uit de toon valt.

„Weet jij al wat je aantrekt?" vraagt Sasja aan Lily.

„Ik leen iets van een kennis," zegt ze achteloos. Het leuke van Lily is dat ze veel jonge ontwerpers kent, die nu al onbetaalbaar zijn, maar dat ze er nooit over opschept. Als ze 'iets van een kennis' leent, betekent dat vaak dat ze in een couturejurkje verschijnt. Helaas zijn de kennissen in kwestie niet zulke goede vrienden dat ze ook even iets voor Sasja en mij kan lenen. En misschien is dat maar goed ook, want ik zou natuurlijk prompt een glas rode wijn over zo'n duur ding heen kieperen.

We staan op en trekken onze jassen aan. Het restaurant waar we zijn, bevindt zich gelukkig niet ver van de Kalverstraat. Binnen een paar minuten zijn we er en zonder zelfs maar te hoeven overleggen, lopen we meteen door naar Noa Noa, onze favoriete winkel. We hebben in het begin vaak ook andere winkels geprobeerd, maar als we echt iets moois zochten, kwamen we altijd hier uit.

Daarom hebben we stilzwijgend besloten om dan maar meteen naar Noa Noa te gaan.

Gelukkig zijn we de enige klanten. Als er meer dan tien mensen in de winkel zijn, kun je er namelijk niet meer door. De verkoopster kent ons inmiddels al en begroet ons vriendelijk. Daarna laat ze ons met rust, omdat ze weet dat we eerst duizend dingen willen passen en dan waarschijnlijk het eerste dat we hebben gepast ook daadwerkelijk kopen.

Mijn oog valt meteen op een wit strapless jurkje, dat is afgezet met kleine, witte bloemetjes. Ik zie mezelf er al in lopen, compleet met opgestoken haar en witte pumps.

„Wat een bruidsjurk," zegt Lily afkeurend, als ik dromerig over de witte stof aai. „Dit is toch veel meer iets voor jou."

Ze komt aan met een ijsblauwe jurk met korte mouwtjes en een lint om de taille, bij wijze van riem. Helaas ben ik opgezadeld met het tegenovergestelde van een zandloperfiguur. Ik heb geen taille, maar mijn heupen zijn in verhouding dan wel weer bijzonder smal. Heel vreemd – dit figuur komt blijkbaar alleen bij ons in de familie voor. Mijn moeder heeft het, net als mijn tante en mijn oma, maar bij iemand anders dan mijn eigen bloedverwanten heb ik het nog nooit gezien.

„Dit is echt iets voor jou," vindt Sasja en ze laat een roze jurk zien, die strak over de heupen valt maar rondom de taille juist ruim is.

„Oh, een ballonmodel zou jou inderdaad heel goed staan!" roept Lily enthousiast. „Dat ik daar zelf niet opgekomen ben."

„En deze ook." Sasja heeft weer wat anders uit het rek gehaald en duwt het in mijn handen. Op mijn beurt vind ik een blouse die prachtig zou staan bij haar blonde haar en lichte huid. Nu ik erover nadenk weten we vaak beter wat iemand anders écht moet proberen dan dat we een idee hebben over wat onszelf het beste staat. Dat is ook de reden dat we geen van drieën vaak alleen gaan winkelen. We kunnen niet zonder kritische tweemansjury die in de winkel commentaar geeft. We zijn wat dat betreft compleet van elkaar afhankelijk. Zouden we alleen gaan winkelen, dan zouden we er waarschijnlijk niet uitzien.

Drie kwartier later staan we buiten met twee volle tassen met kleding voor Lily's feestje, en voor enkele andere gelegenheden waar we écht iets nieuws voor nodig hadden. Ik heb een crèmekleurige blouse gekocht, die perfect combineert met een bruine suede rok die al een tijdje in mijn kast hangt. Onbewust vraag ik me af wat Björn denkt als hij me morgen in die outfit binnen ziet komen.

11

Een langgerekt en vreselijk irritant piepgeluid dringt binnen in mijn droom, waarin ik uitgestrekt op een tropisch strand lig en niets anders doe dan een beetje voor me uit mijmeren. De piep hoort er niet in thuis en ik kreun wat om hem weg te jagen, maar de piep is hardnekkig en uiteindelijk open ik met tegenzin mijn ogen.

Weg tropisch eiland, weg zorgeloos bestaan.

Meteen dringt het besef heel hard door in mijn door slaap vertroebelde brein. Vandaag is de dag van de bespreking met Björn, waar ik vreselijk tegenop zie. Sasja en Lily hebben wel gelijk met hun mening dat ik mijn baan niet moet opzeggen, maar ik heb laatst op Animal Planet een reportage gezien over vluchtgedrag van dieren. Ik kan er niets aan doen dat ik liever op de vlucht sla dan dat ik de confrontatie aanga – het zit in mijn genen, denk ik. Althans, zo was het bij verschillende diersoorten in de binnenlanden van Afrika.

Mijn wekker gaat voor de tweede keer en ik sla met een zucht mijn dekbed terug. Mijn benen voelen aan als lood als ik ze over de rand van het bed sla. Ik blijf even zitten en probeer hoopvol de eerste tekenen van een griepje te ontdekken, maar helaas zonder resultaat. Ik mankeer niets en ik zal vandaag gewoon aan het werk moeten.

Trouwens, ik zou wel een levensbedreigende ziekte moeten hebben, willen Sjors en Pepijn enig begrip voor een ziekmelding op deze belangrijke dag kunnen opbrengen. Ik denk aan mijn fiets, die door het verblijf van enkele dagen op de Keizersgracht een slag in het voorwiel heeft opgelopen. Misschien vlieg ik ermee uit de bocht...

Ophouden, nu, zeg ik streng tegen mezelf. Ik heb geen ziekte, ik krijg heus geen ongeluk en straks, over precies tweeënhalf uur, zit ik om de tafel met Björn en een paar van zijn medewerkers. En ik kan maar beter zorgen dat ik er oogverblindend uitzie.

„Hij komt eraan," fluistert Pepijn opgewonden als hij langs onze kamer loopt. „Kom mee, we moeten hem begroeten bij de voordeur. Kom nou, Sas, niet treuzelen. Niet nu nog je lippenstift gaan bijwerken en blablabla."

Ik sta zo langzaam mogelijk op. Emily steekt twee duimen naar me op en glimlacht bemoedigend. Ze vindt deze campagne de kans van mijn leven en heeft gelukkig nog niet door dat ik zelf wat minder enthousiast ben.

Het is niet moeilijk te raden welke auto van Björn is. Pal voor de deur staat een zilvergrijze Lexus geparkeerd, met twee wielen op de stoep.

Tuurlijk, denk ik geïrriteerd. Parkeerregels gelden niet voor meneer Björn de Vriesch. Ik heb er nu alweer de pest in.

Björn komt aanlopen en steekt zijn hand uit naar Pepijn en daarna naar Sjors. „Sorry dat het even duurde," verontschuldigt hij zich. „Ik kon mijn auto nergens kwijt."

Huh? Zijn auto staat recht voor de deur!

„Ah, daar hebben we Saskia!" roept Björn dan en loopt op me af. Hij pakt mijn hand en trekt me dan naar zich toe om me op mijn wang te zoenen. Ik krijg een kop als een biet en doe alsof ik ineens vreselijk moet hoesten.

„Is Simon er al?" wil Björn weten. „Je zou zeggen van wel, zijn auto staat pontificaal voor de deur!" Hij ziet mijn vragende gezicht. „Simon is de onderdirecteur. Die patserwagen daar, die is van hem. Zelf rijd ik in een Mini Cooper, de enige auto die ik zonder brokken kan inparkeren."

Hij lacht erg hard om zijn eigen grapje en Pepijn, Sjors

en ik doen natuurlijk meteen met hem mee. Ik lach extra hard, alsof ik wil goedmaken dat ik hem verkeerd heb ingeschat.

De bewuste Simon komt binnenlopen in een driedelig pak en een duur uitziende jas, klaagt steen en been over de parkeertarieven – wat ik nogal overdreven vind als je een auto van meer dan een ton rijdt – en loopt dan zonder me een blik waardig te keuren achter Pepijn en Sjors aan naar de vergaderruimte. Ik heb nu al een hekel aan hem.

Als we allemaal om de tafel zitten, zie ik pas dat Björn een flinke delegatie heeft meegenomen. Naast die vervelende Simon zijn er ook nog drie vrouwen, die ik herken van de presentatie in het Hilton. Blijkbaar heb ik ze iets misdaan, want ze kijken me alle drie aan alsof ze me elk moment kunnen aanvallen. Ik probeer vriendelijk te kijken, maar ze zijn er niet van onder de indruk.

Björn is de vrolijkheid zelve. Hij maakt grapjes waar zijn medewerkers buitensporig hard om lachen, inclusief de zure vrouwen. Ik begin een vermoeden te krijgen waarom ze mij niet zo zien zitten. Deze drie houden niet van concurrentie op het gebied van hun baas en idool Björn. Ik glimlach in mezelf; ze moesten eens weten.

Pepijn opent de vergadering. Hij slijmt wat bij Björn over hoe blij we zijn met deze opdracht. Daarna stelt hij zichzelf, mij en Sjors voor de volledigheid nog even voor.

„Saskia zal vanaf nu bij de meeste vergaderingen aanwezig zijn, omdat zij degene is die gaat uitvoeren wat wij hier bedenken,” legt hij uit. „Ze is niet bij de voorbereidende gesprekken geweest, omdat Pepijn en ik het groepje zo klein mogelijk wilden houden. Sterker nog, ze wist van niets! Er mocht natuurlijk niets uitlekken. Maar we hebben Saskia de afgelopen dagen helemaal bijgepraat."

Ik ga rechtop zitten en kijk naar Björn. Hij mijdt mijn blik, maar aan alles is te zien dat Pepijns woorden wel degelijk aangekomen zijn bij hem. Nu hoort hij het ook eens van een ander: ik wist van niets!

Uiteindelijk kan hij er niet meer onderuit om mij aan te kijken. Ik lees in zijn ogen dat hij geschrokken is. Hij probeert me iets duidelijk te maken met zijn blik – zo te zien dat het hem spijt – maar ik ben onvermurwbaar. Strak kijk ik terug tot ik er genoeg van heb en dan richt ik mijn aandacht weer op Pepijn, die nog even kort uiteenzet welke kant het op moet met de campagne van De Vriesch Verzekeringen.

„Het bedrijf moet efficiency uitstralen," zegt hij met een wijds armgebaar. „De Vriesch Verzekeringen hoeft niet je beste vriend te zijn, als het maar een bedrijf is waarvan je zeker weet dat je erop kunt bouwen."

Hij praat verder, maar ik luister niet meer. Björn probeert mijn aandacht te trekken en ik geef hem zijn zin. Hij seint met zijn ogen dat hij echt spijt heeft, maar ik doe alsof ik zijn blik vol excuses niet oppik en trek alleen mijn wenkbrauwen op, zoals hij dat een paar dagen geleden tegen mij deed toen ik hem de waarheid vertelde.

Ik richt mijn aandacht nu op Simon, de onderdirecteur, die het woord heeft genomen en de drie vrouwen van De Vriesch Verzekeringen aan ons voorstelt. Ze blijken Esmeralda, Cynthia en Annelien te heten en vormen met z'n drieën de marketingafdeling van het bedrijf. Ik hoop dat hun gezichtsuitdrukkingen niet synoniem zijn voor de uitstraling van het hele bedrijf, want dan rennen alle klanten vast gillend weg. Ze kijken nu alsof ze serieus van plan zijn om me te grillen. De blikken die Björn me toezendt, zijn hun blijkbaar niet ontgaan.

Drie slopende uren later kondigt Sjors eindelijk aan dat het lunchtijd is. De drie marketingdames van Vriesch hebben inmiddels uitgelegd wat ze van de campagne verwachten en niet alleen lopen die drie meningen erg uiteen, ze zijn ook nog eens totaal niet in overeenstemming met wat Björn en Simon voor zich zien. Sjors schoof me onopvallend een briefje toe waarop hij had gekrabbeld dat ik de drie vrouwen maar moest negeren en dat we doen wat Simon en vooral Björn van ons verwachten. Ik heb nu een kladblok vol met getekende bloemetjes, omdat ik niet één serieuze aantekening heb gemaakt bij wat de vrouwen allemaal hebben verteld. Het sloeg trouwens ook helemaal nergens op.

„Ik eh... ga even mijn e-mail checken," verzin ik snel. Ik gris een broodje mee en maak me uit de voeten, naar mijn eigen, veilige kantoor. Gelukkig is Emily de deur uit. Ik sluit de deur en geniet van de rust. En van de Björn-vrije omgeving.

Ik heb diverse sms'jes van Lily en Sasja, die willen weten of Björn me al ten huwelijk heeft gevraagd. Ik krijg een lamme duim van het typen als ik hen terugstuur wat er allemaal gebeurd is. Bellen was sneller geweest, en waarschijnlijk goedkoper.

Daarna luister ik mijn voicemail af. Mijn moeder wil weten of ik nog wel leef, omdat ze al dagen niets van me heeft gehoord. Ik verplicht mezelf haar vandaag of morgen te bellen. Tien minuten, maximaal.

De brandmanager van Pranks heeft ook ingesproken. Of ik hem zo snel mogelijk wil terugbellen. Voor de eerste keer vandaag ben ik blij met de dagvullende bespreking. Na het weekend is hij de eerste.

Mijn telefoon piept en ik grijp er snel naar. Waarschijnlijk is het Sasja of Lily, die mijn berichtje over

Björn hebben gelezen en me nu van allerlei adviezen gaan voorzien. Waar ik toch niets mee doe, omdat ze allemaal maar één doel hebben: een man voor Saskia.

Maar het berichtje komt niet van mijn vriendinnen.

Waar ben je? Wil met je praten. B.

Shit, het is van Björn! Ik zak een beetje onderuit op mijn bureaustoel, alsof ik me zo zou kunnen verstoppen. Gelukkig is de deur dicht.

Ik lees het berichtje wel tien keer. Moet ik antwoorden? Zal ik de gang oplopen en hem vragen waarover hij wil praten? Of zal ik helemaal niet reageren en doen alsof ik het niet gezien heb? Dat laatste is een zeer, zeer aantrekkelijke optie. Ik leg mijn telefoon op mijn bureau en open Outlook.

Lang duurt de rust echter niet. Na een klopje op de deur, doet iemand die open. Ik weet al wie het is, voor ik hem zie.

„Heb je heel even?" wil Björn weten.

Ik probeer *cool* te blijven, maar mijn hart klopt in mijn keel en mijn handen trillen een beetje. Ondanks alles vind ik hem nog steeds razend aantrekkelijk.

Knap, verbeter ik mezelf snel. Hij is leuk om te zien. Niet aantrekkelijk. Nee, zeg! Het idéé!

„Ik heb het druk," is mijn antwoord, maar zo makkelijk laat hij zich niet uit het veld slaan. Net was ik nog blij dat Emily de deur uit was, nu wens ik uit de grond van mijn hart dat ze ineens binnen komt lopen.

Björn komt binnen en sluit de deur zorgvuldig achter zich. Hij gaat tegenover me zitten, aan Emily's bureau.

„Sorry," begint hij meteen, al houd ik mijn ogen strak op mijn beeldscherm gericht. „Ik had je op je woord moeten geloven."

Ik antwoord niet, maar ben een en al oor. Voor de show

beweeg ik mijn ogen heen en weer, maar niet één letter dringt tot me door.

„Ik dacht dat je wist wie ik was en dat Visser & Visser de campagne voor mijn bedrijf zou gaan doen," gaat Björn verder. „Maar vandaag is me wel duidelijk geworden dat Pepijn en Sjors zo bang waren dat er van tevoren iets uitlekte, dat ze niet eens hun eigen mensen hebben ingelicht."

„Dat zei ik dus al," zeg ik stroef. Mijn stem klinkt onnatuurlijk, alsof iemand mijn keel dichtknijpt.

Björn knikt. „Ja, en ik geloofde je niet. Dat spijt me."

Ik sta op het punt om hem te vergeven, als ik hem in gedachten ineens weer hoor vragen wat ik eigenlijk nog in zijn huis doe. Zijn stem, die nu zacht en sexy klinkt, heeft een andere kant. Een harde, arrogante kant. Een je-was-leuk-voor-één-nacht kant.

Ik haal mijn schouders op. „Verder nog iets?"

Björn is uit het veld geslagen door mijn reactie. „N-nee," stamelt hij. „Maar jij wilt vast nog wel iets zeggen?"

„Nee, hoor."

„Je bent nog boos op me." Het is geen vraag.

„Bedankt voor je excuses. Ze zijn aanvaard. Verder hebben we niets te bespreken, toch?"

Hij staat op en ik moet me inhouden om hem niet te vragen weer te gaan zitten. Sterker nog, ik moet me inhouden om hem niet te vragen onmiddellijk hier te komen om onze nacht samen een vervolg te geven op mijn roestvrijstalen bureau.

Maar ik luister niet meer naar mijn gevoel, heb ik besloten. Mijn verstand is vanaf nu mijn beste vriend.

Björn loopt naar de deur en aarzelt dan even. „Ja?" vraag ik.

„Het is vandaag vrijdag."

„En?"

„Wij hadden een afspraak voor vrijdag."

Ik lach schamper. „Niet meer. Dit gebeurt me geen tweede keer, Björn de Vriesch. Zo dom ben ik nou ook weer niet."

Ik zie aan zijn gezicht dat hij me niet begrijpt, maar ik ga het hem niet uitleggen. Dan komt hij te weten dat onze nacht samen voor mij meer betekende dan voor hem, en dat is wel het laatste waarop ik zit te wachten.

Björn verdwijnt en ik wil eigenlijk Sasja of Lily bellen, maar Sjors komt gelijk daarna binnen om te vertellen dat de vergadering weer gaat beginnen.

Ik heb niet één e-mail beantwoord. Met trillende benen loop ik achter hem aan. Het broodje mik ik onaangeroerd in de prullenbak. De knoop in mijn maag verdrijft het hongergevoel.

„Dus toen zei ik tegen haar, nou, dat vind ik helemaal niet zo goedkoop. Noemen jullie dat een aanbieding?"

„Oh ja?" vraag ik gedachteloos. Mijn moeder maakt me deelgenoot van haar belevenissen bij de groenteman, maar ik luister nauwelijks.

Ze heeft het door en klaagt: „Ach, jullie komen natuurlijk nooit meer bij een echte groenteman. Tegenwoordig is het allemaal maar kant-en-klaar. En een beetje prijsbewust winkelen is er ook al niet meer bij."

Mijn moeder is de vijftig nog maar net gepasseerd, maar ze gedraagt zich alsof ze achter in de tachtig is. Ze heeft het altijd over 'jullie' als ze mij en de rest van de losgeslagen jeugd van tegenwoordig bedoelt.

Ik kijk op de klok. Ze is pas vijf minuten bezig, dus ik moet er nog vijf. Zoals altijd vraag ik me af of mijn moeder vandaag ook nog naar míjn welzijn gaat informeren, maar ik heb de hoop dat ze dat doet, allang opgegeven. Er bestaat een onuitgesproken afspraak dat ik haar wel op de hoogte zal stellen als ik in de terminale fase van een of andere ziekte terecht ben gekomen, en dat het voor de rest vooral om haar draait. Mijn enige hoop is dat ik ooit een leuke schoonmoeder zal krijgen.

Onbewust denk ik aan Elsbeth.

Aah! Waarom brengt mijn brein Elsbeth in verband met het woord 'schoonmoeder'? *What was I thinking?*

Oké, het is duidelijk dat ik een misverstand met mezelf heb. Blijkbaar is er door die ene nacht met Björn ergens in mijn hoofd een nog onontdekte functie geactiveerd, die de bruiloft al aan het plannen is. Het zal wel iets zijn dat ik van mijn moeder heb geërfd.

Ik kijk opnieuw op de digitale klok van de magnetron. Op de kop af zeven minuten. Daar zal ze het vandaag mee moeten doen.

„Mam, de bel gaat," onderbreek ik haar midden in een verhaal, waarvan ik niet eens de strekking zou kunnen noemen. „Ik moet ophangen. Ik bel nog wel."

Zoals altijd wacht ik haar antwoord niet af, maar verbreek ik de verbinding. Vroeger voelde ik me nog wel eens schuldig als ik dat deed, maar tegenwoordig denk ik er niet eens meer bij na. Het enige wat ik bedenk is dat ik wel weer eens met mijn vader zou willen praten, maar aangezien mijn moeder altijd degene is die de telefoon opneemt en ik niet hoef te denken dat ik naar mijn vader kan vragen zonder eerst een halfuur geklaag over hem te moeten aanhoren, vrees ik dat ik langs zal moeten gaan om hem te spreken te krijgen.

Nadat ik heb opgehangen, blijf ik een tijdje voor me uit staren. Zonder dat ik het wil, dwalen mijn gedachten toch weer af naar Björn. Ik zie hem weer voor me, zoals hij vanmiddag tegenover me zat. Ik wil heel graag geloven dat hij echt spijt had, maar ik weet het niet zeker. En trouwens, stel dát hij echt dacht dat ik wist wie hij was. Rechtvaardigt dat zijn botte gedrag?

„Moeilijke vraag," zegt Sasja een minuut later, als ik haar de vraag over de telefoon voorleg. „Hoe kom je daar zo ineens bij?"

„Hij is erachter gekomen dat ik echt geen idee had wie hij was en daarom kwam hij zijn excuses aanbieden. Ik weet niet wat ik ervan moet denken."

„Maar dat is toch juist goed? Jij hebt je gelijk gekregen en hij beseft dat hij zich als een schoft heeft gedragen. Vergeten en vergeven."

„Nee, niet dus," zeg ik. „Want zelfs al had ik geweten wie hij was, dan nog had hij me niet zo mogen behandelen, vind je niet?"

Het is even stil als Sasja nadenkt. „Als Peter in het begin zoiets tegen me gezegd zou hebben, zou ik hem meteen de deur hebben gewezen," geeft ze dan toe. „Maar misschien had ik hem later wel weer een kans gegeven. Als je hem echt leuk vindt..."

„Ik vind hem niet eens leuk!" onderbreek ik haar en ineens dringt het tot me door dat ik me druk maak om niets. Wat maakt het uit dat Björn zijn excuses aanbiedt? Wat maakt het uit wat hij tegen me heeft gezegd?

Vanaf nu ga ik hem laten zien dat het mij allemaal niet kan schelen.

„Het kan me niet schelen," zeg ik ferm tegen Sasja, die redenen aan het bedenken is waarom Björn zo onbeschoft tegen mij deed. Ze zit net midden in een verhaal over Peter, die op zoek naar schone sokken zonder gaten zijn teen stootte tegen de deurpost en er vervolgens achter kwam dat niet alleen alle sokken in de was zaten, maar dat er ook gaten zaten in de zolen van zijn lievelingsschoenen. Ik denk terug aan Björns huis en zijn enorme kledingkast. Hij heeft vast wel meer dan één paar lievelingsschoenen.

„Hoezo, het kan jou niet schelen?" vraagt Sasja verbaasd.

„Vanaf nu maakt het me allemaal niet meer uit," verduidelijk ik. „Björn laat me koud. Hij doet maar wat hij niet laten kan. En dat ga ik hem duidelijk maken ook."

„Doe nou geen domme dingen," zegt Sasja op overredende toon. „Je krijgt er vast spijt van als je hem afwijst, net nu hij weer toenadering zoekt. Vergeet niet dat je hem heel erg leuk vond, Sas."

„Vond, ja. Maar nu niet meer."

„Echt niet?"

Het probleem met vriendinnen is dat ze je beter kennen dan je lief is. Sasja weet dondersgoed dat ik Björn inderdaad leuk vond. En dat dat bij mij meestal niet zo snel over is.

„Echt niet," zeg ik ferm. En ik meen het. Zo'n beetje.

12

Gefrustreerd schieten mijn vingers over het toetsenbord. Elsbeth. Arend. Elsbeth + Arend. Elsbeth + Arend + Nederlands-Indië. Wat ik ook intyp bij Google, ik vind niets dat me verder op weg kan helpen.

Ik heb besloten dat ik Björn heus niet nodig heb om het eind van het verhaal te achterhalen. Alles staat op internet, heb ik laatst ergens gelezen. De truc is alleen om het te vinden tussen die miljoenen pagina's met informatie. Vooralsnog weten Elsbeth en Arend zich heel aardig te verbergen.

Om me heen liggen tientallen kladblaadjes, waarop ik invallen heb geschreven, die uiteindelijk op niets zijn uitgedraaid. De naam 'Elsbeth' googelen en alles bekijken wat die oplevert, heeft ook nog niet tot resultaat geleid. Ik zucht en kijk voor me uit, hopend op een briljante inval.

Gelukkig heeft Emily zich vandaag ziek gemeld. Ze zou een hartaanval krijgen als ze mijn bureau zo zag, vol met losse blaadjes, lege koffiebekertjes en pennen die het niet meer doen, maar die ik om een of andere reden niet gewoon in de prullenbak onder het bureau gooi. Emily's bureau is juist het toonbeeld van leegte. Ze maakt optimaal gebruik van de hangmappen in onze gezamenlijke kast, die ze allemaal kan innemen, omdat ik er niet één gebruik.

Sjors komt binnen en snel klik ik de internetsite weg. Meteen komt de homepage van Visser & Visser tevoorschijn, die ik uitsluitend open heb staan als dekmantel. Ik zou op dit moment heel hard aan de campagne voor Björn moeten werken.

„Zo, jij gaat voortvarend van start," zegt Sjors, kijkend naar de chaos op mijn bureau. Ik ken Sjors goed genoeg om te weten dat hij meer de methode-Emily hanteert en dat hij te veel van orde en netheid houdt om dichterbij te komen en de puinhoop beter te bekijken. Waarschijnlijk is hij bang dat het besmettelijk is. En dat komt goed uit, want op de talloze papiertjes staat weinig tot niets dat Björns bedrijf verder zal helpen.

„Als je hulp nodig hebt, moet je het zeggen, hoor," laat Sjors weten. „Het is een enorme klus en ik zou het best begrijpen als je er in je eentje niet uitkomt."

„Geen probleem," wuif ik zijn aanbod weg. „Volgende week maandag ligt de opzet van het eerste deel op tafel." Dan hebben we pas weer een overleg. Dat betekent dat ik zeven Björn-vrije dagen tegemoet ga.

Sjors wenst me succes en wil de kamer verlaten. „Oh ja," zegt hij dan. „Zometeen komen Björn en Simon nog even langs om de puntjes op de i te zetten. Pepijn en ik zijn er niet, maar jij kunt het wel alleen af, toch?"

Ik dwing mijn spieren tot het produceren van een glimlach en merk tot mijn eigen verbazing dat ik er ook nog bij knik. Maar zodra Sjors verdwenen is, zakt mijn opgewekte, zorgeloze gelaat als een plumpudding in elkaar. Zou Björn dit nou expres doen? Er is niets te bespreken tot de opzet voor deel één van de campagne op tafel ligt. Waarom moet hij dan toch nog zo nodig langskomen?

Snel ruim ik alles op wat aan Elsbeth en Arend herinnert. Als Björn binnenkomt en hij ziet hun namen ergens staan, weet hij natuurlijk meteen hoe laat het is. Ik wil niet dat hij weet dat ik nog altijd op zoek ben naar de informatie die hij heeft. Bovendien moet ik wel echt wat aan die opzet gaan doen, omdat Björn en Simon er zeker naar gaan vragen. Ik open een nieuw Worddocument en ga aan de slag.

„Doei!” roept Sjors een halfuur later, als hij samen met Pepijn het kantoor verlaat. Ik hoop niet dat ze nog zo'n grote klant gaan binnenhalen, want er ligt nu al meer werk dan we aankunnen. Maar gelukkig is het waarschijnlijker dat Sjors en Pepijn zichzelf trakteren op een lunch van de zaak, vermoedelijk bij FEBO, waarna ze de rest van de middag 'werkoverleg' plegen in hun stamkroeg. Zo gaat het meestal op vrijdag.

Ik typ stevig door en merk tot mijn verbazing dat ik er lol in begin te krijgen. De campagne voor De Vriesch Verzekeringen is enorm van opzet en als het niet Björns bedrijf was, zou ik dit een gigantische uitdaging hebben gevonden. Als het goed is, bereiken we met onze reclames straks miljoenen mensen en dan kan ik zeggen dat ik ze gemaakt heb. Misschien zal mijn moeder zelfs wel een beetje trots op me zijn, al zal ze dat natuurlijk nooit zeggen. Ze bijt nog liever haar tong af.

De deur van ons kantoor gaat open en dicht en ik hoor voetstappen in de hal. Omdat ik de enige aanwezige ben, sta ik op en loop mijn kamer uit.

„Goed volk!” roept Simon hard, net als ik voor zijn neus sta. „Oh, hoi. Is er verder niemand?”

Ik besluit zijn opmerking niet persoonlijk op te vatten en schud mijn hoofd. „Nee, jullie zullen het met mij moeten doen.”

De onbedoelde dubbelzinnigheid van mijn opmerking ontgaat hen niet. Björn trekt één wenkbrauw op. Ik draai me snel om en loop naar onze vergaderruimte. „Jullie wilden iets overleggen?” informeer ik zakelijk.

Björn knikt. „We hebben nog wat aanvullingen bedacht, waarvan we dachten dat ze erg nuttig kunnen zijn. We kunnen ze beter nu alvast doorgeven en niet achteraf, nietwaar?”

Ik knik stroef. „Ik zal mijn uitwerking er even bij pakken."

In mijn kamer blijf ik even staan en haal diep adem. Ik hoop dat ze snel weggaan. Björn werkt op mijn zenuwen en het is al niet veel anders met Simon, die met zijn kale hoofd en priemende oogjes niet zou misstaan als misdadiger in een of andere Amerikaanse politieserie. Volgens mij is mijn afkeer van hem volledig wederzijds. Hij kijkt voortdurend naar me alsof ik een überdomme, zeer onaantrekkelijke bimbo ben. Het is dat Pepijn en Sjors nogal hoog over me hebben opgegeven, anders zou hij waarschijnlijk eisen dat iemand anders de campagne ging uitwerken.

Ik laad mijn bestand over op de bedrijfslaptop en neem die mee naar de vergaderruimte. Daar laat ik Simon en Björn lezen wat ik tot nu toe heb opgeschreven. Vooral Björn knikt goedkeurend en ondanks alles voel ik me trots. Ik glimlach nog steeds als ik naar het keukentje loop en drie koppen koffie haal.

„Aardig," is Simons commentaar als hij uitgelezen is. „Maar ik zie dat het goed is dat we toch nog even langskomen. Er moet nog wel het een en ander aan bijgeschaafd worden."

„Uiteraard," zeg ik knarsetandend. „Het is ook nog maar een eerste opzet."

„Ik vind het al erg goed, hoor," probeert Björn de botte opmerking van zijn onderdirecteur een beetje te compenseren. „Simon heeft gelijk dat het hier en daar wat scherper kan, maar het is wel duidelijk dat je precies begrepen hebt welke toon De Vriesch Verzekeringen in de campagne wil aanslaan."

Simon wil nog iets zeggen, maar Björn snoert hem met één blik de mond. De verhoudingen zijn wel duidelijk.

„Als deze opzet straks helemaal naar onze zin is, zullen Simon en ik wat meer op de achtergrond gaan optreden," legt Björn uit. „Er zijn nog duizend dingen die onze aandacht vragen. Maar dan moeten wel eerst de grote lijnen in orde zijn." Hij kijkt me recht aan en met enige moeite krijg ik het voor elkaar om mijn ogen niet neer te slaan. Uiteindelijk is Björn degene die wegkijkt.

„Goed," gaat hij verder. „Laten we ons eerst maar even op deze opzet concentreren." Op dat moment rinkelt zijn BlackBerry en hij mompelt een verontschuldiging. Als hij ziet wie het is, staat hij op en loopt naar de gang. Ik blijf achter met Simon en frummel ongemakkelijk met het blaadje in mijn hand.

Simon leunt een beetje naar voren en zoekt oogcontact. Ik doe alsof ik het niet doorheb, maar uiteindelijk kan ik niet meer doen alsof ik heel belangrijke dingen op mijn papiertje lees. Ik kijk hem aan en krijg de rillingen van de blik in zijn ogen.

„Zo," zegt Simon, terwijl hij suggestief zijn wenkbrauwen optrekt. Ik doe alsof ik hem niet begrijp, maar een onheilspellend gevoel bekruipt me. Wat moet die engerd van me?

„Ik denk dat wij nog maar eens goed over die opzet van jou moeten praten. Vind je niet?"

Ik knik stug. „Dat gaan we zo meteen doen, als Björn terug is."

Simon doet alsof hij verbaasd is. „Björn? Is het niet meneer De Vriesch voor jou?"

Ik weet direct dat ik een grote fout heb gemaakt. Omdat ik helemaal niets kan verzinnen dat verklaart waarom ik over Björn praat alsof hij mijn beste vriend is, houd ik mijn mond maar. Simon weet dat hij gewonnen heeft.

„Ach ja, natuurlijk!" roept hij uit, alsof hem ineens iets

te binnen schiet dat zo onbelangrijk was dat hij het ergens in een uithoek van zijn geheugen had bewaard. „Björn en jij kennen elkaar al. Maar het werkte niet echt tussen jullie, hè?"

Ik begin te trillen. Heeft Björn zijn collega's ingelicht over onze nacht samen? Straks komen Pepijn en Sjors er nog achter! Ik kan er natuurlijk ook niets aan doen dat ik van alle mannen in de stad net die ene moet treffen die de nieuwe klant van ons bedrijf blijkt te zijn, maar toch zullen ze niet blij zijn. Ik moet zorgen dat Simon zijn mond houdt. En ik moet Björn iets aandoen dat lang en pijnlijk zal zijn. Hoe dúrft hij met zijn collega's over mij te praten?

Simon staat op en loopt om de tafel heen. Hij gaat op de stoel naast me zitten en schuift veel te dicht tegen me aan. Demonstratief schuif ik mijn stoel een paar meter opzij, maar Simon laat zich niet uit het veld slaan en volgt me.

„Misschien moeten we dit maar even tijdens een etentje samen bespreken," zegt hij, wijzend op het papier dat ik in mijn hand heb. „Dat is toch veel gezelliger?"

„Dat lijkt me niet zo'n goed idee," antwoord ik stijfjes.

Simon trekt een pruillip. Ik kijk er met afschuw naar.

„Waarom niet?" vraagt hij zogenaamd gekwetst.

Ik vraag me af wat Björn hem heeft verteld. Als je Saskia zover weet te krijgen dat ze met je uit eten gaat, dan krijg je de nacht er gratis bij? Ik tril weer, maar deze keer is het van woede.

Simon wil een antwoord, maar ik kijk strak voor me uit.

„Kom op, nou," dringt hij aan. „Je kunt wel *hard-to-get* spelen, maar mij fop je daar niet mee. Je bent vrijgezel en we weten allebei dat je dit wilt, dus waarom zeg je niet gewoon ja?"

Ik ben te verbluft om antwoord te geven. Net als ik op het punt sta om Simon in zijn gezicht te krabben, komt Björn weer binnen. Hij heeft blijkbaar niet door dat de sfeer in de kamer een historisch dieptepunt heeft bereikt en glimlacht zorgeloos.

„Dat is ook weer opgelost. Waar waren we gebleven?"

Simon schuift zijn stoel bij mij vandaan en zendt me een blik die weinig goeds belooft.

„Dat gelóóf je toch zeker niet?" Sasja kijkt me met open mond aan. Het is zaterdagavond en we maken ons klaar voor het feestje van Lily. Sasja's hand, waarin ze een mascararoller houdt, blijft in de lucht zweven.

Ik knik gelaten. „Björn vond het blijkbaar nodig om mij aan te bevelen bij zijn collega's."

„Je hebt hem toch wel verteld dat je hem een proces aandoet wegens smaad?" vraagt Lily. Er staat strijdlust te lezen in haar ogen. Ik ben blij dat mijn vriendinnen voor het eerst inzien dat Björn niet de perfectie-op-pootjes is, al zou ik nog steeds het liefst ter plekke door de grond zakken als ik denk aan Björn en Simon die de *ins* en *outs* van mijn avontuur met Björn bespreken.

Het enige positieve is dat Björns recensie blijkbaar niet zo slecht was, dat Simon er maar van af heeft gezien.

„Je kunt het er echt niet bij laten zitten, hoor," dringt Lily aan. „Wie denkt hij wel dat hij is?"

„Hoe meer heisa ik maak, hoe groter de kans dat Pepijn en Sjors het te horen krijgen. En daarna het hele kantoor, plus die paar mensen van De Vriesch Verzekeringen die het verhaal nog niet kenden. Roddels over de directeur doen het altijd opvallend goed bij het koffiezetapparaat."

„Als je niets doet, laat je hem er wel heel makkelijk mee wegkomen," vindt Sasja.

Ik slaak een zucht en sta op. „Tja, dat moet dan maar." Mijn aanvankelijke verontwaardiging heeft inmiddels plaatsgemaakt voor gelatenheid. „Laten we er maar over ophouden."

Mijn vriendinnen kunnen er nog uren over praten, maar nadat ze een blik van 'die is gek' hebben gewisseld, zeggen ze niets meer. Ik grabbel naar mijn telefoon als die met een piepje laat weten dat er een sms'je is binnengekomen. Een beetje afleiding kan geen kwaad.

Moet met je praten. Bel me. B.

Mijn mond wordt droog en ik moet de tekst twee keer lezen om zeker te weten dat het er echt staat.

„Wat?" wil Sasja weten.

„Het is van Björn."

Lily, die haar adem moet inhouden om de rits van haar superstrakke jurkje dicht te krijgen, slaakt een gesmoorde kreet.

Sasja rukt de telefoon uit mijn hand en leest het berichtje voor.

„Bel hem," commandeert ze, op hetzelfde moment dat Lily 'vergeet het maar' piept.

„No way," antwoord ik.

„Natuurlijk moet je hem wel bellen," vindt Sasja. „Anders denkt hij dat je dat niet durft."

Lily heeft de rits inmiddels dicht en hoewel zitten geen optie meer is, kan ze in elk geval weer ademhalen. „Als je hem belt, denkt hij natuurlijk dat je de hele dag op hem zit te wachten. Áls je wilt bellen, doe dat dan op z'n vroegst morgenavond."

Ik ben überhaupt niet van plan ook maar één teken van leven te geven. Deze vernedering heeft nu wel lang genoeg geduurd.

Mijn telefoon piept opnieuw.

Simon heeft het me verteld. Het is niet wat je denkt.

„Oh, het is niet wat ik dénk," zeg ik cynisch. „Natuurlijk! Die engerd zegt nog net niet letterlijk tegen me dat de reviews best oké waren, maar nee, ik heb het uiteraard verkeerd begrépen!"

„Wat een onzin!" briest Lily ook, voor zover de naden van het jurkje het toelaten. „Je moet hem echt niet bellen."

„Sms hem dan terug," dringt Sasja aan. „Je moet je niet laten kennen. Ik weet zeker dat hij denkt dat hij gewonnen heeft als je niets van je laat horen."

Ik gooi mijn telefoon op Sasja's bed en recht mijn rug. „Hij zoekt het maar uit. Vanavond wil ik aan leukere dingen denken." Ik werp mezelf een zelfverzekerde blik toe in de spiegel. Ik zie er vanavond fantastisch uit, al zeg ik het zelf. Mijn nieuwe jurk spant om mijn heupen en de wijde hals laat een groot deel van mijn schouders bloot. Sasja heeft als een volleerd kapster mijn haar opgestoken en de gouden ketting om mijn hals – voor een paar euro gescoord op de Albert Cuyp – ziet eruit alsof hij een bedrag met ettelijke nullen heeft gekost.

„Oké, ik ben klaar," kondigt Sasja als laatste aan. „Eens kijken wat de mannen ervan vinden."

We gaan naar de woonkamer, waar Bart, Sebastiaan en Peter zitten te wachten. Als we binnenkomen, kijken ze bewonderend naar ons. Sebastiaan geeft Lily een kus en fluistert in haar oor dat ze er prachtig uitziet. Peters mond hangt open als hij zijn blik over Sasja's lichaam laat glijden. Even voel ik een steekje. Niemand vindt míj de mooiste.

Dan duikt Bart naast me op en haakt zijn arm door de mijne. „Kom op, prinses," zegt hij zo zacht dat niemand het kan horen. „We gaan er een geweldige avond van maken."

Aangezien het Lily's verjaardag is die we vieren, heeft ze een auto met chauffeur geregeld om ons naar het feestje te brengen. Die zet ons *fashionably late* af bij een prachtig loftappartement aan de Keizersgracht, waar een bevriende scenarioschrijver woont, die zijn huis meer dan graag afstaat aan Lily in ruil voor een prachtige kans op een avondje netwerken met acteurs, producenten en iedereen die ertoe doet in de tv-wereld.

Als we binnenkomen is het feest al in volle gang. Ik spot meteen zeker vijf mensen die ik al zappend vaak genoeg ben tegengekomen. Gelukkig loopt Lily naast ons, om ons van de juiste namen te voorzien. Lang duurt dat echter niet. Als mensen doorhebben dat het feestvarken zelf is gearriveerd, vliegen ze op haar af om haar met veel omhelzingen en kussen te feliciteren. Lily heeft Sasja en mij laatst verteld dat negentig procent van de mensen die nu om haar heen zwermen, zich omdraait en haar naam alweer vergeten is. Maar zelf is ze niet veel anders, vertrouwde ze ons toe.

Sasja prikt in mijn zij. „Dat is die acteur uit die ene soap, weet je wel? Jemig, in het echt is hij duizend keer leuker."

Ik heb geen idee welke soap ze bedoelt en de man die ze onopvallend aanwijst, heb ik nooit eerder gezien, maar hij mag er inderdaad wezen. Naast hem staat een extreem klein, blond meisje dat onophoudelijk aan een sigaret zuigt en tegelijkertijd probeert in recordtempo een cocktail achterover te slaan. De blonde acteur kijkt een beetje verveeld. Als hij mij en Sasja in het oog krijgt, komt er een geïnteresseerde blik op zijn gezicht. Hij komt onze kant op. Alles om bij die bimbo vandaan te zijn, waarschijnlijk.

„Voor jou," giechelt Sasja en ze verdwijnt in de menigte. Ik doe alsof ik de man nauwelijks opmerk tot hij naast me staat.

„Hoi," is zijn openingszin. Ik ben nog niet echt onder de indruk.
„Hallo."
„Wat drink je?"
„Nog niks."
„Oh."
„..."
„Wil je iets?"
„Lekker."
„Wat?"
„Doe maar een cocktail."
Hij verdwijnt in de menigte om een drankje te halen. Ik vraag me af of ik niet te hard voor hem ben. Hij leek echt verlegen.
Als hij terugkomt, besluit ik om me iets minder onaardig op te stellen. Sasja en Lily hebben al heel vaak zuchtend en steunend vastgesteld dat het nooit iets wordt tussen mij en het andere geslacht als ik altijd om te beginnen doe alsof ik niets van een man moet hebben, om hem vervolgens te laten bewijzen dat hij mijn aandacht écht waard is. Ik noem het een tactiek om zijn oprechtheid te testen, zij noemen het een regelrechte afknapper.
Als de jongen terugkomt met twee kleurige drankjes, besluit ik het wat makkelijker voor hem te maken. Ik glimlach stralend en bedank hem. Hij lijkt zich meteen te ontspannen.
„Wat brengt jou hier?" wil hij weten.
„Ik ben een vriendin van Lily," antwoord ik niet zonder enige trots. Omdat Lily dit feestje geeft, is het vanavond behoorlijk *done* om aan haar gelinkt te zijn, denk ik.
„Lily?" vraagt hij echter onnozel. „Ken ik die?"
Er komt een man met een grote camera voorbij. „Voor op de website!" roept hij en duwt onze hoofden tegen

elkaar. „Even lachen!" We doen braaf wat hij vraagt en de camera flitst een paar keer. Dan is de man weer verdwenen.

„Wat doe jij?" vraag ik de acteur, om maar te zorgen dat er geen stilte valt.

Hij kijkt me aan en doet geen moeite zijn afkeuring te verbergen. „Ken je mij niet dan? Ik ben iedere dag op televisie!"

„Ehm..." Ik zoek naarstig naar een naam. „Nee, sorry. Ik kijk weinig televisie."

Hij maakt een minachtend geluid en loopt weg. Ik kijk hem verbouwereerd na.

„Kwal," zeg ik hardop.

„Roep het nog even harder," tettert Sasja in mijn oor. „Volgens mij hoorde hij het niet. Kom mee, dan gaan we dansen. Van de goede gesprekken moet je het hier niet hebben. Van de goede muziek wel!"

Ze sleurt me mee en de rest van de avond dansen we de blaren op onze voeten. Ik waag me niet meer aan gesprekken met leeghoofdige acteurs.

13

Het is al maandagochtend als ik eindelijk het idee heb dat ik weer leef. De hele zondag heb ik in mijn pyjama op de bank doorgebracht, mezelf belovend dat ik nooit meer één druppel zou drinken. Ik denk niet dat ik me ooit zo heb gevoeld. Ik had zelfs niet eens zin om een oud kastje op te knappen, dat ik weken geleden op een markt heb gekocht en dat nog altijd op een flinke lik verf wacht. Het zal nog even moeten wachten. Dat ik gisteren vijf keer een dvd'tje heb gewisseld, vond ik al een noemenswaardige prestatie.

Pepijn komt binnen en zet met een zwaai een cappuccino voor me neer. Dan komt hij op de hoek van mijn bureau zitten en kijkt me veelbetekenend aan. Onder zijn arm houdt hij de krant geklemd.

Het koude zweet breekt me uit. Hij weet het! Hij weet van mij en Björn!

„Ik…" stamel ik, maar Pepijn is eerder.

„Zo," begint hij. „Wat heb jij dit weekend gedaan?"

Die vraag verbaast me een beetje. Ik heb Björn dit weekend toch niet eens gezien?

„Ehm… Ik had een feestje."

„Ja." Pepijn lacht. „Dat heb ik gezien, ja." Hij haalt de krant onder zijn arm vandaan en legt hem voor me neer. „Mevrouw date al weken een BN'er, maar ons inlichten, ho maar! Nee, hier trek je een onschuldig gezicht en blablabla." Hij tikt een paar keer op de krant en verlaat dan lachend de kamer. Bij de deur draait hij zich om en knipoogt overdreven. „Goed gedaan, Sas!"

Ik kijk hem verbaasd na.

Emily, die tegenover me zit, trekt haar wenkbrauwen op. „Waar heeft die gast het over?"

„Ik heb werkelijk geen flauw idee, maar volgens mij moet het antwoord in deze krant te vinden zijn." Snel blader ik erdoorheen. Net als ik denk dat Pepijn gek is geworden en dat ik de krant maar het beste in de papierbak kan gooien, valt mijn oog op de showbizzpagina.

Soapacteur showt mysterieuze vriendin

Dat staat er. Met een foto van mij en de kwallerige acteur van zaterdag eronder. Ik kreun zachtjes. Voor de website, ja ja. Ik had beter moeten weten.

Mijn ogen vliegen over de regels.

...hotste soapacteur van het moment...

...geruchten gingen al langer...

...nu mag het hele land haar zien...

...onbekend meisje...

Emily rent om het bureau heen en rukt de krant onder mijn neus vandaan. Ze slaakt een gil, die andere collega's alarmeert. Voor ik het weet, staat iedereen in onze kamer. Ze vechten om de krant. Ik leg mijn hoofd in mijn handen en wacht tot iedereen even zijn mond houdt, zodat ik kan uitleggen hoe het echt zit.

„Saskia Jongemans!" roept Sjors en hij mept me op mijn schouder. „Dat had ik nou nooit achter jou gezocht! Jij kleine groupie van me! Vertel eens, heb je lang bij de artiesteningang moeten wachten?"

„Het was op een feestje van mijn vriendin Lily," leg ik haarfijn uit. „Waarvoor ik door haar persoonlijk was uitgenodigd. Maar het is niet wat jullie denken. Ik heb niets met die gast. Sterker nog, ik weet niet eens hoe hij heet."

„Kom kom, niet jokken," zegt Pepijn, die de foto veraf houdt en dan weer dicht bij zijn ogen. „Ik zie duidelijk dat hier sprake is van wat pril geluk. Hoe lang zijn jullie al samen? Hebben jullie het al aan jullie ouders verteld en blablabla?"

„We zijn niet samen," verduidelijk ik, maar niemand schijnt echt naar me te luisteren. Ze hebben het veel te druk met het uitwisselen van hun eigen theorieën over het begin van onze zogenaamde relatie. „Jongens, ik héb niets met die gozer!" roep ik, maar ze wuiven me ongeduldig weg. Ongelukkig probeer ik hulp te zoeken bij Emily, maar die discussieert met de receptioniste over wie de eerste stap heeft gezet. Ze komen, gezien mijn karakter, tot de conclusie dat hij dat wel geweest moet zijn.

Ik sluip weg om koffie te halen, aangezien mijn cappuccino inmiddels is omgestoten door iemand die iets te snel de krant wegtrok. Terwijl het apparaat pruttelt, overdenk ik de situatie, die eigenlijk best grappig is, als je erover nadenkt.

„Wat is hier aan de hand?" klinkt dan ineens een bekende stem achter me. „Wat een commotie voor de maandagochtend."

Ik schrik op. Björn is binnengekomen en na een snelle blik in mijn kamer, kijkt hij een beetje verbaasd naar mij. „Wat heeft iedereen?"

„Oh niks," zeg ik snel. „Iets uit de krant heeft ze nogal geraakt." Het laatste waarop ik zit te wachten, is dat Björn ook nog eens gaat denken dat ik het doe met een of andere leeghoofdige soapacteur, die mijn naam ongetwijfeld alweer vergeten zou zijn als ik hem die had verteld. Wat ik niet gedaan heb, omdat we niet eens lang genoeg met elkaar hebben gepraat om tot het stadium te komen waarin het gebruikelijk is dat je namen uitwisselt.

Björn fronst. „Als het niet in het Financieele Dagblad staat, zal ik het waarschijnlijk niet lezen," zegt hij tot mijn opluchting.

Ik knik en wacht af.

„Ik ben vrijdag het pennetje van mijn PDA hier vergeten," verklaart hij dan zijn aanwezigheid. „Hebben jullie het misschien gevonden?"

Ik loop naar de receptie, waar ik het kleine, plastic gevalletje heb neergelegd toen ik het vrijdag in de vergaderzaal zag liggen. Het lijkt mij nogal onzinnig om het hele eind van Björns kantoor aan de Zuidas naar het onze in de binnenstad te rijden voor een stukje plastic, dat je bij elke elektronicazaak zo kunt kopen. Bovendien, heeft Björn geen secretaresse die dit soort dingen voor hem regelt?

„Oh, bedankt," zegt hij, als ik hem zijn pennetje teruggeef. Hij kijkt ernaar alsof hij niet zo goed weet wat hij ermee moet en stopt het dan in zijn zak. „Heb je... Ik heb je een berichtje gestuurd."

„Ik heb het gezien." Hij moet niet denken dat ik van plan ben om aardig tegen hem te doen. Zakelijk correct, dat kan hij krijgen, maar aardig, nee, daarop hoeft hij niet meer te rekenen.

„Je hebt niet gebeld," zegt hij, terwijl hij wat ongemakkelijk voor de deur blijft staan. Ik overweeg de deur voor hem te openen om hem duidelijk te maken dat dit gesprek voorbij is, maar ik weet inmiddels welk bedrag Björns bedrijf ons betaalt voor de reclamecampagne. Voor zoveel geld houd ik de deur toch nog maar even dicht.

„Nee. Ik heb niet gebeld."

„Geloof je me niet?" Björn kijkt me niet aan als hij het vraagt.

Ik haal mijn schouders op. „Simon wist dingen te vertellen die hij niet van mij heeft gehoord."

„Ook niet van mij!" roept Björn. Hij kijkt verschrikt naar de kamer waarin al mijn collega's zich bevinden, maar gelukkig heeft niemand hem gehoord. „Ook niet van mij," herhaalt hij op zachtere toon. „Hij had door dat er tussen ons iets ongewoons was en hij vroeg me of ik jou misschien al ergens van kende. Ik was zo verbaasd over die vraag, dat ik niet snel genoeg 'nee' zei en toen had hij het door. Ik heb snel verzonnen dat we vroeger bij elkaar in de buurt hebben gewoond en dat we elkaar uit het oog verloren waren. Hij heeft er zelf bij verzonnen dat we als pubers iets hebben gehad en dat jij daar nog steeds niet overheen bent. Ik heb hem al verteld dat het onzin is, maar hij wil het niet geloven."

„Hij was nogal vasthoudend," zeg ik. „Hij vroeg me mee uit."

Björn slaakt een zucht. „Shit, sorry. Dat was helemaal niet de bedoeling. Ik had het anders moeten aanpakken. Ik zal Simon duidelijk zeggen dat hij je met rust moet laten."

Ik kijk hem geringschattend aan. Hij lijkt oprecht, maar toch weet ik niet of ik hem moet geloven. Is hij niet alleen maar bezig zichzelf vrij te pleiten?

„Dat zou fijn zijn," antwoord ik. „Is er verder nog iets?"

Björn houdt zijn hoofd schuin en kijkt me aan. „Je bent boos," stelt hij vast.

„Nee, hoor. Ik heb het alleen erg druk met de opzet."

Hij knikt. „Oké. Ik begrijp het. Ik wil je alleen vragen..." Hij staart weer naar de grond alsof daar geschreven staat wat hij wil zeggen. „Ga nog een keer met me uit eten, Saskia," zegt hij dan. „Alsjeblieft. Ik heb iets goed te maken en dat weet ik. Ik beloof je dat het deze keer anders wordt dan de vorige keer. Geef me die kans. Ik heb je slecht behandeld en dat verdien je niet."

Even aarzel ik, maar dan schud ik ferm mijn hoofd. Mijn gevoel zegt ja en dat is een extra reden voor mij om nee te zeggen. „Dat lijkt me niet zo'n goed idee, Björn," antwoord ik. „Je excuses zijn geaccepteerd. Bedankt. Maar laten we de contacten vanaf nu puur zakelijk houden."

Ik zie dat hij mijn antwoord niet leuk vindt, maar hij knikt. „Oké. Je hebt gelijk. Dag, Saskia." Hij verlaat ons kantoor. Voor de deur staat een klein autootje geparkeerd, waar hij in stapt. Ik volg de auto tot die de straat uitgereden is.

Moet ik nu trots zijn op mezelf?

„Kun je daar als-je-blieft mee ophouden?"

Emily kijkt op en fronst. „Wat heb jij ineens? Ik ben degene die zwanger is, maar jij hebt het bijbehorende humeur gekregen, volgens mij."

„Ik word gewoon stapelgek van dat geluid!" Emily zit al vijf minuten de botjes van haar vingers te knakken, wat ze eigenlijk elke middag doet, maar vandaag kan ik niets hebben.

Verongelijkt gaat mijn collega weer aan het werk. Af en toe werpt ze een beledigde blik mijn kant op. Ik doe alsof ik het niet zie.

„Heeft je vriendje je in de steek gelaten?" vraagt ze dan.

Eén moment lang vraag ik me af hoe ze weet dat a) ik het met Björn heb gedaan en b) hij hier vanochtend was, maar dan valt mijn oog op het uitgeknipte krantenartikel dat ze aan het prikbord heeft gehangen. Ik slaak een zucht en schud mijn hoofd.

„Hij is mijn vriendje niet. Nooit geweest ook. Waarom geloven jullie dat niet?"

Emily's mond vertrekt zich in een stralende glimlach. „Ik vind het zo leuk dat je het nog steeds ontkent. En dan volgende week ga je ons natuurlijk ineens vertellen dat het toch wel waar is. Zo doen die Hollywoodsterren het ook altijd. Weet je wel dat Brad Pitt maandenlang heeft ontkend dat hij iets met Angelina Jolie had? Maar ja, toen was hij natuurlijk ook nog getrouwd met Jennifer Aniston." Emily beschikt over een gigantische hoeveelheid showbizz-kennis, waar ik wel eens jaloers op ben. Ik vind het al heel wat als ik de leden van ons koningshuis uit elkaar kan houden.

„Ems, serieus," zeg ik dan en ik leun een beetje naar voren. Meteen hangt zij over het bureau heen, omdat ze denkt dat ik haar alle details van mijn vermeende relatie met de acteur ga meedelen.

„Ik heb echt helemaal niets met die jongen," herhaal ik nog maar eens. Emily reageert teleurgesteld. Zij had op een grote scoop gerekend.

Ik wil nog iets zeggen, maar mijn telefoon piept twee keer. Zoals altijd bij sms'jes en e-mails moet ik echt meteen kijken wie het is. Emily kijkt hoopvol. „Is het van hem?" vraagt ze, alsof ik net in het Chinees tegen haar heb zitten praten.

Ik voel me schuldig. Laat me het goedmaken. Vanavond, 20:00, Okura? B.

Ik rol met mijn ogen. Is er een virus uitgebroken dat ongemerkt oren aantast, waardoor alles wat uit mijn mond komt, niet meer goed kan worden omgezet naar voor hersenen begrijpbare signalen? Niet alleen Emily, maar ook Björn heeft er blijkbaar last van. Ik kan net zo goed niets zeggen. Niemand vindt het de moeite waard om het te onthouden.

Deze keer antwoord ik Björn wel.

Je weet wat ik heb gezegd. Puur zakelijk, verder niets.

Ik aarzel even voor ik het verstuur. Hij doet natuurlijk wel zijn best... Zoals hij vanochtend voor me stond – vol spijt en zelfs een beetje onzeker. Er kruipt een glimlachje over mijn gezicht.

Maar het beeld van Simon dringt zich aan me op. Zoals

hij afgelopen vrijdag op me af kwam geschoven, denkend dat hij me wel even zijn bed in zou praten. Björn had zijn mond moeten houden over mij!

Ik druk resoluut op de verzendknop.

Niet lang daarna piept mijn telefoon weer.

Ik begrijp dat je boos bent. Ik ben ontzettend stom geweest. Sorry…

Björn heeft er echt spijt van. Misschien is hij toch niet de berekenende, zelfverzekerde, arrogante bal waar ik hem voor gehouden heb. Misschien heb ik hem verkeerd ingeschat.

Ik zie Björn voor me en zonder dat ik het wil, voel ik weer zijn handen op mijn lichaam. Mijn hart mist een slag.

Streng roep ik mezelf tot de orde. Luisteren naar je verstand, herhaal ik als een mantra in mijn hoofd. Want mijn gevoel brengt me in situaties die veel te ingewikkeld zijn.

„Surprise!" roept Pepijn, die de deur opengooit en met drie papiertjes zwaait. Hij legt ze op mijn bureau en blijft met zijn handen over elkaar staan om mijn reactie te zien.

„Jimmy Woo!" gil ik uit als ik zie wat de papiertjes voorstellen. „Voor mij?"

„Helemaal voor jou," knikt Pepijn. „En voor je sterrenvriendje. Alhoewel Jimmy Woo voor hem natuurlijk niets bijzonders is."

Ik ben zo blij met de drie kaartjes dat ik hem niet eens verbeter. Aankomende zaterdag wordt in de hotste club van de stad het hotste feest van de stad gehouden. Het is besloten en alleen genodigden komen naar binnen, met een felbegeerde uitnodiging. Pepijn heeft drie van die uitnodigingen, maar om een of andere onbegrijpelijke reden gaat hij er geen gebruik van maken.

„Waarom wil je zelf niet?"

Hij haalt zijn schouders op. „Mijn omaatje wordt die dag vijfennegentig en heeft de hele familie uitgenodigd voor een avondje oud-Hollandse spelletjes doen in het bejaardenhuis waar ze woont. De hele familie bestaat echter alleen uit mij en mijn broer en hij komt niet. Als ik niet kom, dan is er niemand en dan zit ze daar alleen en blablabla."

Ik knik begrijpend. „Natuurlijk moet je gaan. Ja, logisch. Ik had hetzelfde gedaan als ik jou was."

Maar niet heus.

Snel prop ik de kaartjes in mijn agenda. Pepijn moet zich natuurlijk niet bedenken.

Zodra hij de kamer heeft verlaten, bel ik Lily. „We gaan zaterdag naar Jimmy Woo!" tetter ik in haar oor.

„Huh?" is haar verbaasde antwoord.

„Ik heb kaartjes gekregen van Pepijn. Hij wil niet en aangezien ik drie kaartjes heb, is het wel duidelijk wie er zaterdag gewoon naar binnen lopen op dat besloten feestje. Jij, ik en Sasja."

„En nog iemand, want ik heb zelf al een kaartje. Gekregen van die acteur die ineens jouw vriendje schijnt te zijn. Ik kwam hem vanochtend tegen in de wandelgangen en toen gaf hij me het kaartje om me te bedanken voor het feestje van zaterdag. Hij kon zelf niet komen."

„Oh," zeg ik enigszins teleurgesteld. Niet omdat die acteur niet komt – dat is juist uitermate goed nieuws – maar omdat ik blijkbaar niet de enige ben die superexclusieve kaartjes in haar handen gedrukt heeft gekregen.

„Maar dat is toch alleen maar goed nieuws!" weerstreeft Lily. „Nu kunnen we Bart ook meevragen." Grappig genoeg denkt Lily bij dit soort dingen eerst aan Bart en daarna pas aan haar eigen vriendje Sebastiaan. Hij en Peter hangen liever in een bruine kroeg aan de bar en ze elke week meeslepen naar *fancy* feestjes is niet zo'n goed idee. Daar worden ze alleen maar chagrijnig van. Lang geleden hebben Lily en Sasja dat geaccepteerd, al zul je ze zelden aan de bar aantreffen met hun vriendjes.

Bart daarentegen is dol op dit soort gelegenheden. Ik weet zeker dat hij wat hij zaterdagavond ook te doen heeft, aan de kant schuift om mee te kunnen. Ik pak mijn mobiel en bel hem meteen op.

„Sas!" roept hij als hij opneemt. Ik hoor oorverdovend lawaai op de achtergrond.

„Lig je onder een trein of zo?"

„Nee," grinnikt Bart. „Maar ik probeer er wel in te komen. Maar daar bel je vast niet voor. Wat kan ik voor je doen?"

„Je kunt zaterdagavond voor me vrijhouden," zeg ik met een geheimzinnige stem. „Ik heb namelijk kaartjes weten te regelen voor Jimmy Woo!"

In tegenstelling tot wat ik verwacht had, blijft het stil aan de andere kant van de lijn. „Eh, Sas," zegt Bart dan. „Ik weet niet of je echt kaartjes nodig hebt voor Jimmy Woo. Volgens mij kun je ook zonder kaartje naar binnen. Alhoewel het natuurlijk wel druk is op zaterdag."

„Nee, sufferd. Zaterdag geeft een of andere hoge pief uit de zakenwereld het feest van het jaar. Ik ben even zijn naam kwijt, maar zijn feest is altijd legendarisch. Pepijn heeft drie kaartjes gekregen, omdat hij afgelopen jaar een paar dingetjes voor hem heeft gedaan op het gebied van reclame. Maar hij en Sjors kunnen niet, dus heeft hij ze aan mij gegeven."

„Aha," zegt Bart begrijpend. „En wie gaat er nog meer mee? Je nieuwe vriendje, meneer de acteur?"

„Houd op," zeg ik half lachend, half chagrijnig. „Ik heb niets met hem. Ik weet zijn naam niet eens."

„Dat weten wij wel, maar de rest van Nederland kan zien hoe jij stralend lachend poseert met je nieuwe verovering. Ik ben trots op je, Sas."

„Morgen ligt die krant in de kattenbak," zeg ik, en daarmee is het onderwerp voor mij afgesloten. „Maar kun je zaterdag?"

„Natuurlijk! Zo'n exclusief feestje wil ik niet missen. Komen er nog een beetje leuke mannen?"

„Voor jou wel."

„Mooi. Ik moet je hangen, Sas. Spreek je later!"

Ik wil eigenlijk Sasja bellen om haar het geweldige nieuws ook te vertellen, maar ik weet dat ze aan het werk is. Ze heeft een van de door haar zo gehate ontbijtdiensten, waardoor ze niet alleen het grootste deel van de dag onbereikbaar is, maar ook nog eens een pesthumeur heeft als ze klaar is met werken. Sasja haat vroeg opstaan, wat een van de redenen is dat ze in de horeca is gaan werken. Altijd laat beginnen en laat klaar, dat past veel beter bij haar. Ze heeft serieus overwogen om ontslag te nemen toen haar baas vorig jaar aankondigde met ontbijt te willen beginnen, om de vele toeristen die hun hotel zonder ontbijt hebben geboekt – of de toeristen die elke dag wakker worden als het ontbijtbuffet in hun hotel allang afgeruimd is – de kans te geven op een heerlijk, uitgebreid ontbijt, dat tot twaalf uur besteld kan worden. Het idee is goed, maar Sasja heeft er een hekel aan. Gelukkig heeft ze afgesproken dat ze maximaal twee ontbijtdiensten per maand doet. Dat zijn dus twee dagen waarop Lily en ik haar niet durven te bellen.

„Ik ben zó jaloers op je," haalt Emily me uit mijn gedachten. „Dat is echt het feest van het jaar en jij wandelt er gewoon naar binnen! Mazzelaar die je bent dat er niet net nu een baby in je buik groeit. Dat heb ík weer."

Maar ik weet dat ze het niet meent. Emily is dolblij met haar zwangerschap en hoewel er nog niets te zien is, betrap ik haar erop dat ze voortdurend over haar buik strijkt.

„Jouw tijd komt wel weer," zeg ik vol vertrouwen. Maar nu is het eerst míjn tijd.

14

„We zijn blijkbaar niet de enige met exclusieve kaartjes," merkt Bart droog op. Ik kan geen antwoord geven, omdat ik mijn adem moet inhouden om me door de mensenmenigte te wurmen. Ik zie Sasja en Lily met grote ogen om zich heen kijken.

Jimmy Woo is vanavond werkelijk afgeladen. Overal waar ik kijk staan mensen en iedereen ziet eruit alsof zijn of haar outfit gisteren nog op de catwalk te zien was. Ik voel me ineens heel gewoontjes in mijn ballonjurkje, dat ik vorige week ook al droeg op Lily's feestje. Hoe heb ik kunnen denken dat iedereen die daar was, niet hier zou zijn?

Gelukkig is die vreselijke acteur er niet, met wie mijn collega's me nog steeds pesten. Van de week belde zelfs mijn moeder op om te vragen wie die jongen toch was, met wie ik op de foto in de krant stond. De buren hadden haar erop gewezen en blijkbaar was een foto van haar dochter samen met een bekende Nederlander in een van de grootste kranten van het land genoeg voor haar om de telefoon te pakken en daadwerkelijk aan diezelfde dochter een vraag te stellen die enkel en alleen over de dochter in kwestie ging. Ik moet zeggen, ik was verbaasd.

Nadat ik haar had uitgelegd dat het een groot misverstand is, dat ik alleen even met de man heb staan praten en dat ik niet eens zijn naam wist, was het snel over met die interesse voor mij. Ze begon over een of andere buurjongen die ik in geen jaren heb gezien, en die een glanzende carrière als advocaat schijnt te maken. Stomtoevallig moest mijn moeder net bij de buurvrouw zijn toen die jongen er was en gelukkig voor mij kreeg ze de kans hem bij te praten over het wel en wee van zijn oude buurmeisje. Het valt me mee dat mijn moeder genoeg over me wist om langer dan een minuut over mij te kunnen praten.

En het goede nieuws, volgens mijn moeder, is dat hij altijd heimelijk een oogje op me heeft gehad en dat hij dolgraag een keer met me wil afspreken. Ik vermoed dat hij dat alleen maar heeft gezegd om van haar af te zijn en ik kan hem niet eens ongelijk geven.

Ik voel me net Elsbeth.

Wist ik maar hoe het met haar is afgelopen.

„Hé, hallo!" schreeuwt Sasja in mijn oor, om boven de muziek uit te komen. „Sta daar niet zo te dromen over weet ik veel wie! Kom op, het is tijd om te dansen. En om te drinken! Wat wil je?"

Voor ik een antwoord heb gegeven, is Sasja al richting bar vertrokken. Lily spot ik een eindje verderop tussen de menigte, pratend met een meisje dat ik vaag herken van een of andere quiz waarbij ik laatst in slaap ben gevallen. Als ik van dit soort gelegenheden mijn hobby wil maken, zal ik echt beter moeten opletten bij het televisiekijken.

„Kom mee, dan gaan we dansen!" roept Bart. Hij pakt mijn arm en sleept me mee naar de dansvloer. Ik kijk over mijn schouder of Sasja er niet toevallig aankomt met de drankjes.

„Die vindt ons wel," zegt Bart. Hij pakt me vast en begint te dansen. Ik doe met hem mee.

Even later drukt Sasja een cocktail in mijn hand, die ik in drie teugen achteroversla. Als vanzelf duikt er iemand op om mijn glas mee te nemen. Ik krijg meteen een nieuw drankje in mijn hand geduwd. Verbaasd pak ik het aan.

„Is gratis," verklaart Sasja, die naast me danst. „Wie een feestje geeft, trakteert."

Ik knik en sla mijn tweede drankje achterover. De alcohol begint zijn werk te doen en ik laat me meevoeren door de beat van de muziek. Wat is dit toch heerlijk. Ik glimlach gelukzalig naar Bart. Hij knipoogt.

Dan fronst hij ineens zijn wenkbrauwen en kijkt langs me heen naar iets dat blijkbaar achter mij gebeurt. Ik probeer zijn blik te vangen, maar hij blijft kijken. Uiteindelijk draai ik mijn hoofd om ook te kunnen zien wat er zo interessant is.

Mijn hart slaat over als ik zie wie er achter me staat.

„B-Björn," stamel ik een beetje dommig. „Wat doe jij hier?"

„Hetzelfde als jij," antwoordt hij koel. „Ik was uitgenodigd."

„Oh."

Hij werpt een blik op Bart en kijkt mij dan weer aan. Ik zie een blik in zijn ogen die ik nog niet eerder heb gezien. Hij lijkt wel… gekwetst.

Mijn blik schiet heen en weer tussen Bart en Björn en dan begrijp ik het. „Björn, dit is Bart. Bart, dit is Björn, een eh… Een klant van Visser & Visser."

„Hallo. Bart." Björns blik boort zich in die van Bart. Ik weet wat hij denkt, maar hij heeft het fout.

„Bart is niet eh…" begin ik, maar wat moet ik zeggen? Bart is niet zo van de vrouwen? Bart is niet wat je denkt dat hij is?

Ik kijk hulpzoekend naar hem, maar hij heeft zich alweer omgedraaid en danst nu met Sasja.

„Goed," zegt Björn. „Ik ga maar weer."

„Nee!" Ik weet ook niet waarom ik dat niet wil. Ik weet alleen dat ik hem tegen moet houden, anders denkt hij dat ik een relatie met Bart heb en om een of andere reden mag hij niet denken dat ik er iemand anders op na houd, terwijl hij moeite doet om goed te maken wat hij verkeerd heeft gedaan.

„Het is al goed, Saskia," zegt hij en hij legt even zijn hand op mijn schouder. Dan draait hij zich om en verdwijnt in de dansende menigte. Ik heb me nog nooit zo alleen gevoeld in zo'n grote mensenmassa.

„Saskia Jongemans, kun je daar alsjeblieft mee ophouden?"

„Nee."

„Toe nou, Sas. Waarom moet je per se vandaag dat kastje verven? Kom lekker bij ons zitten, dan zetten we een dvd'tje op."

„Nee."

„Sas..."

„Nee, nee, nee." Ik strijk een haarlok uit mijn gezicht en ga met driftige bewegingen verder met schuren. Dit kastje moet vandaag af. Punt.

„Laat maar." Sasja laat zich nog verder onderuitzakken op mijn bank en trekt de capuchon van haar sweatshirt over haar hoofd. „Een kater doet vreemde dingen met mensen."

„Ik heb geen kater," meld ik. „Ik erger me er gewoon aan dat hier een oud kastje staat, dat nog geverfd moet worden. Aangezien het zondagmiddag is en ik verder toch niets te doen heb, ga ik ermee aan de slag. Maar als jullie dvd'tjes willen kijken, ga je gang. Je weet hoe mijn dvd-speler werkt."

„Sorry, hoor," zegt Lily en ik zie vanuit mijn ooghoeken dat ze een veelbetekenende blik met Sasja wisselt. Ik weet wat ze denken, maar ik geef het toch niet toe. Het ligt niet aan Björn. Echt niet.

Als ik het maar vaak genoeg herhaal, ga ik het misschien zelf wel geloven.

Gisteravond heb ik Björn niet meer gezien, hoewel ik hem wel heb gezocht. Ik wilde hem per se uitleggen hoe het zit. Wel kwam ik twee van de drie marketingvrouwen tegen, die me koeltjes toeknikten, maar niet de moeite namen om me gedag te zeggen. Laat staan dat ik ze had kunnen vragen waar Björn was.

„Hé, Sas," probeert Sasja op overredende toon.

Ik kijk op, maar stop geen moment met schuren.

„Waarom heb je Björn niet gewoon verteld dat Bart homo is?"

Ik rol met mijn ogen. „Waarom zou ik Björn dat moeten vertellen?"

„Omdat hij nu misschien iets denkt wat niet waar is," vult Lily aan. Mijn vriendinnen nemen de grootst mogelijke voorzichtigheid in acht, merk ik. Ze zijn bang dat ze per ongeluk op mijn bijzonder lange tenen trappen.

„Wat kan mij het schelen?" vraag ik schouderophalend. „Ik wil niets met Björn. Hij mag in de plomp zakken."

Sasja kijkt me peinzend aan. „Meen je dat?"

„Natuurlijk." Driftig gooi ik het schuurpapiertje weg als het scheurt door een onverhoedse beweging van mijn hand. Ik pak een nieuw papier en begin weer te schuren, nog harder dan eerst.

Sasja haalt haar schouders op. „Oké. Wat jij wilt." Ze lijkt een beetje beledigd dat ik tegenover haar en Lily iets blijf volhouden dat heel duidelijk niet de hele waarheid is.

Nou, jammer dan. Ik kan het me niet permitteren opnieuw voor Björn te vallen. De vorige keer heeft het heel slecht uitgepakt, en dat mag niet nog een keer gebeuren. Er staat een heleboel op het spel, om te beginnen mijn waardigheid.

Ik schiet van schrik bijna de lucht in als mijn telefoon piept. Björn, schiet het als eerste door me heen. In twee stappen ben ik bij de salontafel. Sasja en Lily zijn overeind gaan zitten.

Hoe was het? Pepijn

Teleurgesteld gooi ik mijn telefoon terug op tafel. „Pepijn wil weten hoe het was."

Lily en Sasja laten hun adem ontsnappen. „Oh. Oké."

Ik loop terug naar mijn half geschuurde kastje en probeer te verbergen hoe teleurgesteld ik ben. Sasja en Lily zien het, maar durven er niets van te zeggen.

Buiten begint het te miezeren. Ook dat nog.

Het is niet zo dat ik er de volgende ochtend naar uitkijk om naar mijn werk te gaan. De regen heeft aangehouden en hoewel het niet koud is, kan ik mijn zojuist zorgvuldig in model geföhnde kapsel wel weer gedag zeggen. En dat is nog maar één van de redenen.

Dapper stap ik op mijn fiets en terwijl ik probeer mijn haar zo goed en zo kwaad als het gaat te beschermen, trap ik door het drukke spitsverkeer naar het kantoor van Visser & Visser, dat nog uitgestorven is. Op maandagochtend voelt niemand zich geroepen voor tien uur te verschijnen. Vandaag komt mij dat wel goed uit. Ik heb voorlopig nog geen zin om wie dan ook te spreken.

De opzet voor de campagne van De Vriesch Verzekeringen is, zeker nadat Björn en vooral Simon aanvullingen hebben gedaan, nog lang niet af. En dat terwijl vanmiddag de delegatie van het bedrijf hierheen komt om alles door te spreken. Ik zie als een berg tegen die vergadering op en niet alleen omdat ik nog een enorme hoeveelheid werk moet verzetten.

Snel zet ik mijn computer aan en voorzie mezelf van een dubbele dosis cappuccino. Ik pak mijn aantekeningen en ga als een dolle aan de slag. De bespreking begint om drie uur. Ik heb precies zesenhalf uur de tijd om een klus te klaren, waarvoor ik eerder zesenhalve dag nodig heb.

Ik merk pas dat er twee uur verstreken is als Pepijn ineens opduikt in mijn kamer en mijn getergde rug en schouders duidelijk protesteren als ik beweeg. Ik heb zo ingespannen zitten werken, dat ik alle tekenen van beginnende RSI heb genegeerd. Ik kreun zachtjes als ik mijn spieren rek en strek.

„Zo." Pepijn schuift een stapeltje zorgvuldig gesorteerde papieren opzij, waardoor het op de grond valt en alles weer door elkaar wordt gehusseld. Hij merkt het niet eens, maar kijkt me verwachtingsvol aan. Een beetje dommig staar ik terug.

„Hoe was het?" vraagt hij ongeduldig als ik niets zeg.

„Oh, dat. Ja, het was leuk."

„Leuk?" Hij grijpt met een dramatisch gebaar naar zijn hoofd. „Weet je wel voor hoeveel geld ik die kaartjes op Marktplaats had kunnen verkopen? Maar nee, ik ben zo vriendelijk om ze af te staan aan mijn hardwerkende collega en wat krijg ik? Een lauw 'leuk' als ik vraag hoe het was en verder een sip gezicht en blablabla."

Ondanks alles moet ik lachen. „Sorry. Het was geweldig. Ik ben echt blij dat je mij die kaarten hebt gegund, want zo'n avond had ik niet willen missen."

„Zo mag ik het horen," knikt hij goedkeurend. „Nog sterrenvriendjes aan de haak geslagen? Of kan ik daarvoor beter even in het ochtendblad kijken?"

„Ha ha," zeg ik. „Heel lollig. Nee, ik heb niemand aan

de haak geslagen, zoals jij dat noemt, en dat is me prima bevallen."

Het beeld van Björn dringt zich hardnekkig aan me op, maar ik sluit mijn gedachten ervoor af.

„Het wordt tijd dat jij weer een man krijgt," concludeert Pepijn en hij staat op. „Dat wordt mijn volgende project, een leuke vent voor je zoeken. Maar eerst moet ik ons huidige project tot een goed einde zien te brengen. Vanmiddag drie uur is de deadline, hè?"

Ik knik zelfverzekerd. „Geen probleem. Alles is onder controle hier."

Pepijn glimlacht goedkeurend. „Zo mag ik het horen. We gaan een verpletterende indruk maken. Mail je mij nu vast even de hele opzet, dan kijk ik ernaar."

Ik voel dat ik een rood hoofd krijg en duik naar de grond om de gevallen papieren bij elkaar te rapen, zodat Pepijn niet kan zien dat ik bloos. „Ik eh... Ik ben nog even bezig met de puntjes op de i. Een paar minuutjes nog."

„Oké!" is zijn antwoord en hij verdwijnt. Snel kom ik overeind, rek mijn vingers en ga dan als een gek aan de slag. Ik heb ineens geen vijf uur meer de tijd, maar vijf minuten.

Bijna hijgend van inspanning druk ik een halfuur later op 'verzenden'. Mijn mail naar Pepijn verdwijnt van het scherm en ik leun achterover. Ik moet de opzet nog hier en daar verbeteren, maar de grote lijnen staan op papier. Ik ben best trots op mezelf. Nu Pepijn nog.

„Ik ga een lunch halen!" Het is pas elf uur, maar ik heb behoefte aan frisse lucht. „Wat kan ik voor jullie meenemen?"

Uit de diverse ruimtes van ons kantoor worden bestellingen naar me geroepen. Ik krabbel alles op een blaadje en ga snel de deur uit, op weg naar ons bakkertje dat twee straten verderop zit en dat de lekkerste broodjes van Amsterdam maakt. Hij besteedt zoveel aandacht aan elk broodje dat het een eeuw duurt voor je bestelling klaar is en terwijl ik op andere dagen vaak ongeduldig sta toe te kijken, kan het me vandaag niet lang genoeg duren. Ik neem plaats aan de leestafel en pak een krant. Zonder iets te lezen, sla ik de bladzijden om.

Ik denk aan de middag die voor me ligt. Wat moet ik straks tegen Björn zeggen? Ik ben niet van plan terug te komen op afgelopen zaterdag, te midden van zowel mijn als zijn collega's. Maar ik kan toch ook niet doen alsof er niets is gebeurd?

Onbewust vraag ik me af hoe Björn zou reageren als Bart inderdaad mijn vriend was. Zou hij zich belazerd voelen, omdat ik de indruk heb gewekt dat ik vrijgezel ben? Of zou hij het niet zo erg vinden, omdat hij uiteindelijk degene is geweest, die mij duidelijk te verstaan gaf dat het wat hem betreft leuk was voor één nacht, maar verder niet. Aan de andere kant, als het hem niets doet, waarom reageerde hij dan zo raar?

Ik begrijp ook nog steeds niet waarom ik het me zo aantrek. Misschien was het de blik in zijn ogen. Gekwetst, zo keek hij. Maar er was nog iets. Hij leek wel teleurgesteld in mij. Alsof hij dit van mij niet had verwacht.

Ja, dat is het. En de reden dat ik erop ben gebrand te bewijzen dat het anders zit dan hij denkt, is dat ik er niet tegen kan als mensen een verkeerd beeld van me hebben. Dat is de enige reden; het heeft niets met Björn persoonlijk te maken, het had ieder ander kunnen zijn.

In groep vijf schreef de juf al in mijn rapport dat ik een vrolijk en goed presterend kind was, maar dat ik me wat minder aan moest trekken van wat andere kinderen van me vonden. In groep zes herhaalde een andere juf dat en in groep zeven ben ik een keer weken van slag geweest, omdat andere kinderen dachten dat ik verliefd was op een jongen uit groep acht, terwijl dat niet zo was. Ik durfde op het laatst niet eens naar school, ook al zei mijn moeder keer op keer dat ik me niets moest aantrekken van wat andere kinderen van me zeiden of vonden. Ik kon er niets aan doen, ik trok het me wel aan. En zo is het nog steeds. Een psycholoog zou waarschijnlijk zeggen dat het komt doordat ik enig kind ben. Geen idee of dat waar is.

„Saskia, je bestelling is klaar," roept de bakker en ik veer overeind. Nu ik voor mezelf heb verantwoord dat ik helemaal niets voel voor Björn, maar dat ik gewoon moet leren omgaan met een vervelende karaktereigenschap, voel ik me honderd kilo lichter. Er is een last van mijn schouders verdwenen.

Ik pak de grote plastic zak aan, betaal en loop fluitend naar buiten. Het is opgehouden met regenen en een lekker zonnetje zorgt voor een aangename warmte. Als ik terugkom op kantoor, heb ik een opperbest humeur. Diverse collega's kijken me verwonderd aan.

„Wat ben jij vrolijk. Wat is er aan de hand?" vraagt Emily, die inmiddels is gearriveerd, nadat ze de ochtend in bed heeft doorgebracht, geplaagd door misselijkheid. Ze ziet nog steeds zo bleek dat ik bang ben dat ze elk moment kan neervallen. Mijn stellige overtuiging dat ik absoluut kinderen wil, raakt steeds meer aan het wankelen. Adoptie lijkt ineens een heel aantrekkelijke optie.

„Oh niks," antwoord ik luchtig. „Ik heb gewoon een heerlijk weekend gehad. Jij?"

„Fantastisch," zegt ze zonder zelfs maar een zweempje

ironie. „Ik heb twee dagen lang in bed gelegen en heb boeken gelezen over baby's. Wist je dat ongeboren kinderen al heel vroeg van alles kunnen horen? Als mijn kind geboren wordt, kent hij of zij jouw stem waarschijnlijk al. *Cool*, hè?"

„Nou en of," zeg ik met, naar ik hoop, een beetje overtuiging.

„En als ze geboren zijn, gaan baby's vaak na een paar weken heel erg op de vader lijken," gaat Emily verder. „Een slimmigheidje van Moeder Natuur om vaders te laten zien dat het echt wel hun eigen kind is, dat ze aan het opvoeden zijn. Kijk, als moeder weet je dat natuurlijk vrij zeker, maar die vaders moeten altijd maar afwachten. De natuur heeft het zo goed geregeld!"

„Inderdaad, ja," antwoord ik, maar Emily hoort het niet eens. Ze haalt het meesterwerk waar ze al deze informatie vandaan heeft, uit haar tas. „Ik zou het dolgraag aan je uitlenen, maar ik heb het nog niet uit," zegt ze met een spijtig gezicht. „Vind je het heel erg?"

„Nee, hoor," antwoord ik opgelucht. „Vertel me af en toe maar wat erin staat, dat lijkt me voorlopig wel genoeg."

Emily knikt en slaat het boek open. Afwezig gaat ze met haar hand naar de aan-knop van haar computer, maar ik vrees dat het nog wel even zal duren voor ze daadwerkelijk aan de slag gaat.

Zelf open ik het bestand waarin de opzet van de De Vriesch-campagne staat en ga aan de slag met de laatste verbeteringen. Pepijn heeft me gemaild wat er volgens hem nog anders moet. Hij geeft me een compliment dat de opzet snel af is én goed in elkaar steekt en ik glim van trots. Voor het eerst ben ik blij dat ik de kans heb gekregen mee te werken aan zo'n grote campagne. Vooral omdat ik niet verliefd ben op de opdrachtgever. Dat is zo'n opluchting.

Ik slaak een diepe zucht als ik een paar uur later voor de laatste keer op 'print' druk. Overal op mijn bureau liggen definitieve versies, die toch nét niet definitief genoeg zijn. Ik schuif ze op een stapel en gooi die in één keer in de papierbak. Wat er nu uit de printer komt, is echt de definitieve versie. Ik lees hem nog een keer snel door en knik tevreden. Björn zal hier blij mee zijn, dat kan niet anders.

Het is kwart voor drie als ik het pakketje papier bijna achteloos op Pepijns bureau laat vallen. Hij kijkt er met een schuin oog naar.

„Die heb ik toch al gezien?"

„Ik heb hem nog een beetje aangepast."

Pepijn pakt de blaadjes en leest ze snel door. Aan zijn gezicht zie ik dat hij tevreden is. „Goed werk, Sas," complimenteert hij als hij het uit heeft. „Daar zal De Vriesch heel blij mee zijn. Ik weet zeker dat deze campagne een groot succes gaat worden."

Ik knik trots en loop terug naar mijn computer om de opzet nog een paar keer uit te printen, voor Björn en zijn collega's. Daarna laat ik de receptioniste de pakketjes snel inbinden, zodat het er ineens een stuk professioneler uitziet. Om precies twee minuten voor drie leg ik het stapeltje in de vergaderruimte. Op dat moment hoor ik de deur van ons kantoor open en dicht gaan. Ik strijk mijn rok glad, haal een hand door mijn haar en stap de gang in.

Simon is de eerste die ik zie, geflankeerd door de drie dames van de marketing. Björn zal nog wel bezig zijn een plekje voor zijn auto te zoeken. Ik zet mijn professionele glimlach op en begroet onze klanten. Het kost me enige moeite, maar mijn glimlach wijkt niet als ze me nauwelijks een blik waardig keuren. Simon kijkt me ronduit vijandig aan, maar ik geef geen krimp. Als Pepijn zijn wenkbrauwen naar me optrekt, doe ik alsof ik niet weet wat hij bedoelt.

„Laten we naar de vergaderzaal gaan," stel ik voor. „Of zullen we nog even op Björn wachten?"

„Björn komt niet," deelt Simon bits mee, en hij beent langs me heen. De drie vrouwen volgen zonder iets te zeggen.

Pepijn en Sjors volgen hen. Ik sjok erachteraan.

15

„En nu gaat Emily die campagne overnemen!" bries ik in mijn telefoon. „Dat gelóóf je toch niet? Pepijn en Sjors snappen er ook niets van."

„Doe nou maar even rustig," probeert Sasja me te kalmeren, bang dat ik anders ter plekke een hartaanval krijg. „Zo is het vast niet bedoeld."

„Natuurlijk is het zo wel bedoeld!" Ik ben niet van plan rustig te worden. Björn heeft me diep, díep beledigd. „Ik heb mijn stinkende best gedaan om die opzet op tijd af te krijgen en nu ineens eist hij dat iemand anders het project overneemt!"

„Maar dat wilde je toch?"

Ik hap naar adem. „Natuurlijk niet! Ik kan deze campagne heus wel aan, hoor!"

„Je zei zelf in het begin dat je blij was dat Emily de campagne zou doen, omdat je dan niet met Björn hoefde samen te werken."

Even ben ik stil. Ze heeft gelijk, dat heb ik inderdaad gezegd. „Maar dat was tóen," antwoord ik dan fel. „Voordat ik al die tijd erin stopte."

„Het is inderdaad een rotstreek," is Sasja het dan met me eens. „Kun je hem er niet op aanspreken?"

„Ik praat nooit meer met hem."

„Dan heeft hij dus gewonnen."

Later, als Sasja heeft opgehangen, denk ik na over haar opmerking. Zou Björn het ook zo zien? Dat hij van mij gewonnen heeft?

De deur gaat open en Emily komt binnen. Als ze me ziet, kijkt ze ontwijkend naar de muur achter mij. Ze mompelt iets en begint door een stapel papieren op haar bureau te ploegen.

„Wat is er?" vraag ik, hoewel ik heus wel doorheb dat ze liever niet met me praat.

„Niks," zegt ze zogenaamd achteloos, en buigt nog wat verder, zodat ze met haar neus haar bureau bijna raakt.

„Zoek je iets?" probeer ik het nog een keer.

„Uh-hu."

„Wat dan?"

„Hm?"

Ik sta op en loop om het bureau heen. „Ems?"

Ze schiet van schrik overeind. „Eh… ja?"

„Wat is er aan de hand?"

Ze kijkt schichtig naar de deur en staat dan op om die dicht te doen. Als ze weer gaat zitten, kijkt ze me aan en zegt: „Ik wil dat je weet dat het niet mijn idee was. Ik heb zelf niet om dat project gevraagd, ik gunde het juist aan jou, Sas."

„Dat weet ik heus wel." Ik leg mijn hand op haar schouder. Emily begint te snikken. Verbaasd kijk ik naar haar. „Gaat het?"

Ze wappert met haar handen. „Oh nee, niks. Let maar niet op mij. Ik moet tegenwoordig overal om huilen."

„Oh."

„Echt, ik huil al om het achtuurjournaal. Het zal wel door de hormonen komen. Ik ben zo blij dat je niet boos op me bent."

„Natuurlijk niet," verzeker ik haar. Dan aarzel ik. „Weet jij misschien waarom… Nou ja, ik bedoel… Waarom ik weg moest?"

Emily veegt langs haar ogen. „Geen idee," zegt ze nasnikkend. „Ik heb je opzet gelezen en ik vond hem erg goed. Pepijn en Sjors ook, volgens mij. Maar Simon had er geen goed woord voor over."

Ik knik en loop terug naar mijn eigen bureau. Simon.

Tuurlijk. Hij mag me al niet vanaf het allereerste moment.
Ik kan niet geloven dat Björn naar hem heeft geluisterd.

Ik hoor hoe de voordeur open en dicht gaat. Emily schiet overeind. „Shit, daar heb je hem." Ze strijkt haar rok glad. „Ik moet gaan." Ze doet de deur van onze kamer open en loopt de gang op.

Mijn hart mist een slag als ik Björns stem hoor. Ik kan niet verstaan wat hij zegt. Emily's antwoord klinkt formeel, helemaal niet als de vriendelijke, uitbundige Emily die ik ken. Ondanks alles glimlach ik. Dat doet ze voor mij. Emily is een van de loyaalste mensen die ik ken. Ze voelt zich vreselijk schuldig over wat er is gebeurd, ook al kan zij daar niets aan doen.

De voetstappen op de gang komen dichterbij en met een verhit gezicht draai ik me naar mijn computer. Alleen met uiterste krachtsinspanning lukt het me om mijn blik strak op het scherm gericht te houden als Björn en Emily voorbijlopen. Pas als ze weg zijn, laat ik mijn adem ontsnappen.

Maar dan hoor ik hoe de voetstappen opnieuw dichterbij komen.

„...even uit mijn kamer pakken," hoor ik Emily zeggen. „Wacht daar maar even."

Ik schiet overeind.

Als ze maar alleen komt.

Maar tot overmaat van ramp verschijnt niet alleen Emily, maar ook Björn in de deuropening. Mijn collega zendt me een blik die duidelijk moet maken dat ze nog heeft geprobeerd hem tegen te houden. Ik knik haar haast onmerkbaar toe. Als door een magneet wordt mijn blik naar die van Björn getrokken. Een paar seconden lang staren we elkaar aan.

Dan richt hij zijn ogen op Emily. „Heb je het?"

„Hallo, Björn," zeg ik met schorre stem, zonder dat ik het eigenlijk wil. Mijn mond is een eigen leven gaan leiden. Er komen zomaar dingen uit die ik alleen maar dacht.

Hij knikt me koeltjes toe. „Hallo."

Ik kan wel duizend dingen bedenken die ik zou kunnen zeggen, maar gelukkig weet ik mijn mond te houden. Ik moet er niet aan denken dat ik hem daadwerkelijk zou vragen waarom ik van de campagne ben gehaald, of waarom hij ineens zo boos op me is. Ook al zou ik een moord doen om het antwoord te weten te komen.

„Ik heb het!" roept Emily, duidelijk opgelucht dat ze deze gespannen situatie kan redden. Ze houdt triomfantelijk een papier omhoog. „Laten we gaan."

Het volgende moment is Björn verdwenen. Pas als ik op mijn bureau kijk, zie ik dat ik van spanning een potlood doormidden heb gebroken. Op een belangrijk rapport zitten grijze vegen. Ik slaak een ongelukkige zucht.

„Je bent verliefd," stelt Lily onomwonden vast.

„Echt niet."

„Jawel," valt Sasja haar bij. „Je hebt alle symptomen. Je hart gaat sneller slaan als hij in de buurt is. Je krijgt meteen een rood hoofd. Je wordt verdrietig als hij je voorbijloopt zonder iets te zeggen. Geef het nou maar toe, Sas. Nu Björn de hoop heeft opgegeven, ben jij smoorverliefd op hem geworden. Of misschien was je dat de hele tijd al."

Ik denk na over wat ze zegt. Ik wou dat Sasja niet altijd gelijk had.

Mijn diepe zucht zegt genoeg en mijn vriendinnen beginnen uitgelaten te joelen. Als ze weer tot bedaren zijn gekomen, zegt Sasja zakelijk: „Nu moet je dus zorgen dat hij jou weer ziet staan. Dat kan niet zo moeilijk zijn, want tot vorige week had hij duidelijk een oogje op je."

„Ik heb het flink bij hem verbruid. Ik zal met een briljant idee moeten komen om te zorgen dat hij me weer leuk gaat vinden."

Sasja en Lily lopen over van de plannen en beginnen van alles te roepen. Ik luister ernaar, maar ik weet nu al dat er maar weinig zal zijn dat maakt dat Björn weer naar me omkijkt. Ik zie weer voor me hoe hij vanmiddag naar me keek en dan kan ik mezelf wel iets aandoen. Waarom heb ik mijn kans niet gegrepen toen ik die kreeg? Waarom moest ik zo nodig de koppige, beledigde vrouw uithangen? En vooral, waarom heb ik niet eerder beseft hoe leuk Björn is?

„Hoe zit het trouwens met Arend en Elsbeth?" wil Lily weten. „Daar horen we je nooit meer over."

Ik haal mijn schouders op. „Ik zou het dolgraag willen weten, maar zonder Björn kom ik geen steek verder. Ik heb het zoeken maar opgegeven."

Sasja tikt nadenkend tegen haar bovenlip. „Misschien is dat iets," zegt ze. „Kun je niet nog eens op die twee oudjes terugkomen en zeggen dat je het eind van het verhaal toch wel heel graag wilt weten?"

Ik schud mijn hoofd. „Dat is veel te doorzichtig. Trouwens, waarschijnlijk lacht Björn me uit en loopt hij weg. Ik denk dat ik het eind van dat verhaal nooit te weten zal komen."

„Natuurlijk wel," zegt Sasja optimistisch. „Je moet gewoon iets briljants verzinnen."

Het zijn die woorden waar ik de volgende dag aan denk als ik bij het koffiezetapparaat sta en Björn een paar meter verderop een telefoongesprek voert. Hij is even binnen komen vallen om te kijken naar een presentatie, die Emily in elkaar heeft gezet en die bedoeld is om andere partijen de bedoeling van de campagne uit te leggen. Pas als alle neuzen dezelfde kant op staan, kan de campagne precies worden wat De Vriesch Verzekeringen ervan verwacht. Ik weet dat Emily het vreselijk druk heeft met de presentatie. Ze heeft me net verteld dat Björn de eerste versie ervan erg goed vindt, maar dat ze nog ongeveer duizend dingen moet doen om het perfect te krijgen. En daar heeft ze twee dagen de tijd voor.

Ik treuzel net zo lang tot Björn klaar is met bellen.

„Dan zie ik je zo," hoor ik hem zeggen en daarna klapt hij zijn telefoontje dicht. Heel even aarzel ik, maar dan recht ik mijn rug en stap op hem af.

„Björn, heb je heel even voor me?" vraag ik veel zelfverzekerder dan ik me voel.

Hij werpt een vluchtige blik op me, maar kijkt dan weer naar buiten. „Iemand komt me zo halen," laat hij weten. „Kan het snel?"

Ik knik gretig. „Tuurlijk. Ik wilde alleen even zeggen... Nou ja, waar het om gaat... Over laatst. Het feestje. Het is niet wat je denkt. Ik..."

Björns donkere ogen houden de mijne vast. Ik houd meteen mijn mond. „Je vriendje vindt het vast niet leuk als je nog met mij praat," zegt hij met een onheilspellende ondertoon in zijn stem.

Ik sta perplex. „Oh, maar... Weet je, zo zit het niet, ik..."

„Sorry, ik moet weg," onderbreekt hij me en langs me heen beent hij de deur uit. Er stopt een sportautootje voor de deur, waar hij in stapt. Ik zie een blondine achter het stuur zitten, die verdacht veel lijkt op een van de dames van de marketing. Als hij zich naar haar toe buigt, wend ik snel mijn ogen af.

Er prikken tranen achter mijn ogen als ik snel terugloop naar mijn kamer en de deur achter me dichtknal. Emily is gelukkig bij Pepijn. Ik zoek in mijn tas naar mijn mobiel en bel Sasja. Ze neemt meteen op. „En? Heb je hem gezien?"

„Ja. Hij denkt dat Bart mijn vriendje is en nu voelt hij zich bedrogen."

Sasja begint te lachen. „Is dat alles? Nou, dan is de oplossing heel simpel."

„Hij is echt heel boos op me, volgens mij. Hij denkt dat ik thuis gewoon een vriend had zitten, terwijl ik met hem in bed lag."

„Dan moet je hem dus duidelijk maken dat hij het fout heeft," zegt Sasja opgeruimd. „Je hebt hem toch wel meteen verteld dat het allemaal één groot misverstand is en dat je zo vrijgezel bent als... Ja, als wat eigenlijk?"

„Hij liep weg terwijl ik tegen hem aan het praten was, en stapte in de auto bij een collega van hem, die hij volgens mij met een kus begroette."

„Heb je dat echt gezien of dénk je dat je dat gezien hebt?"

„Ik denk dat ik het gezien heb. Hij boog zich naar haar toe en toen ben ik weggelopen. Ik heb mijn kans verspeeld, Sas."

„Welnee," zegt mijn altijd optimistische vriendin. „Je hebt het niet eens echt gezien, dus het kan net zo goed niet waar zijn. Het enige wat jij moet doen, is Björn laten weten dat hij het fout heeft. En dat je hebt ingezien dat je een grote fout hebt gemaakt door hem af te wijzen."

„Volgens mij ben ik al te laat. Het heeft geen zin meer."

Sasja slaakt een zucht. „Wat als Nelson Mandela dat had gezegd? Of Martin Luther King? Of de geallieerden in de Tweede Wereldoorlog? Mooie boel zou het dan geworden zijn." Ze zet een gek stemmetje op. „Zullen we Europa gaan bevrijden, jongens? Nou nee, het is toch al te laat."

Ik grinnik om haar toneelstukje. „Je weet een heel geloofwaardige soldaat neer te zetten."

„Je moet vechten, Sas," dringt ze aan. „Pas als je alles hebt geprobeerd en het is niet gelukt, kun je het opgeven. Maar jij gooit de handdoek al in de ring voordat je ook maar íets hebt geprobeerd."

Ik weet dat ze gelijk heeft, maar ik ben ontzettend bang dat ik mezelf onsterfelijk belachelijk maak. Niet alleen Björn, maar ook al mijn collega's en – erger nog – zijn collega's zullen zich rot lachen. Dat risico kan ik echt niet lopen.

„Daarna kun je altijd nog een nieuwe baan zoeken," grapt Sasja.

De deur zwaait open en Emily komt gestrest binnenlopen.

„Ik bel je later," mompel ik tegen Sasja en hang snel op.

Emily laat zich op haar bureaustoel vallen en begint verwoed te typen. Ze kijkt niet één keer op. Haar wangen zijn knalrood en er hangt een losse haarlok langs haar gezicht. Ik wil deze vrouw vragen wie ze is en wat ze met Emily heeft gedaan. Mijn collega is a, nooit in de stress en b, nog nooit betrapt op een coiffure-foutje. Gelukkig draagt deze vrouw net als Emily torenhoge hakken en een strakke blouse, waaronder nu wel een piepklein buikje zichtbaar wordt. Anders zou ik serieus aan het twijfelen gaan.

„Is er iets?" informeer ik voorzichtig.

Emily slaakt een diepe zucht, schudt met haar hoofd, maar geeft geen antwoord. Ik durf niet verder te vragen.

„Simon is echt een slavendrijver," zegt ze dan. „Deed hij

dat bij jou ook? Elke keer roept hij weer twintig dingen die hij veranderd wil zien en als je het niet binnen twee minuten gedaan hebt, is hij meteen in een pesthumeur. Hij roept gemiddeld drie keer per dag dat hij wel een ander reclamebureau gaat zoeken als het zo moet. Ik wou dat hij dat echt deed." Ze slaat verschrikt haar hand voor haar mond en kijkt naar de deur. Gelukkig is er niemand op de gang.

„Laat hem maar kletsen," raad ik haar aan. „Uiteindelijk is Björn degene die het laatste woord heeft en hij is heel tevreden over Visser & Visser. Simon kan wel blaffen, maar hij mag niet bijten van Björn. En dat zal hij ook niet doen."

Emily knikt. „Ik weet het, maar het is behoorlijk frustrerend. Die presentatie is echt niet slecht, maar als je Simon hoort praten, zou je denken dat we het over prutswerk van een of andere zeer slechte stagiaire hebben. Gelukkig komt Björn zo terug. Dan durft Simon niets meer te zeggen."

Ik verschiet van kleur. „Komt Björn terug?"

„Hm." Emily kijkt niet op van haar scherm. „Hij is even met een collega naar een vergadering, maar daarna is hij de rest van de middag weer hier. Hij zegt dat hij zelf betrokken wil blijven, omdat hij precies in zijn hoofd heeft hoe het moet worden. Ik vind het allang best, zolang ik niet met die engerd van een Simon alleen hoef te zijn."

Wat ze zegt dringt nauwelijks tot me door. Heb ik mezelf net flink voor aap gezet, blijkt dat Björn, die ik het liefste wil ontlopen, zo meteen weer op de stoep zal staan. Ik blader snel door mijn agenda om te zien of ik misschien een afspraak kan verzetten, zodat ik vanmiddag de deur uit moet, maar doordat ik de campagne van De Vriesch op me zou nemen, heb ik mijn afspraken voor de komende tijd geannuleerd. Ik heb zogezegd niets te doen. Behalve wat kleine dingetjes die ik van Emily heb overgenomen.

Ik sta met een ruk op en been naar Pepijns kamer. Hij kijkt verstrooid naar me op als ik binnenkom en hem vertel dat ik door het verzoek van Björn geen fluit meer te doen heb.

„We hebben het even druk met deze campagne, Sas," zegt hij, terwijl hij met een schuin oog naar zijn beeldscherm kijkt. „Daarom hebben we een aantal andere opdrachten afgeslagen. Gebrek aan mankracht, en blablabla."

„Geef ze dan aan mij," brom ik. „Aangezien ik ben gewogen en te licht bevonden voor de campagne van De Vriesch."

„Zo moet je dat niet zien," zegt Pepijn automatisch. Hij overhandigt me een uitgeprint vel. „Dit is een e-mail van een potentiële opdrachtgever. Benader hem maar en kijk of het een campagne is die je in je eentje kunt doen. Zo ja, dan kun je de opdracht aannemen."

Hoopvol loop ik terug naar onze eigen kamer. Als ik deze man meteen bel, kan ik misschien vanmiddag al bij hem langsgaan om een en ander door te spreken. En dan hoef ik Björn dus niet onder ogen te komen. Ik vraag me stiekem af of hij ook maar een heel klein beetje teleurgesteld zal zijn als ik er niet ben.

Waarschijnlijk niet.

Ik bel het nummer dat in de e-mail staat en krijg meteen een vriendelijke man aan de lijn, die blij is dat Visser & Visser toch tijd heeft kunnen vrijmaken voor zijn campagne. Zoals gewoonlijk doe ik alsof hij het inderdaad als een enorme eer moet beschouwen, waarmee ik meteen de driehonderd euro goedpraat, die we bij het door hem genoemde bedrag gaan optellen. Hij gaat akkoord zonder ook maar één tegenbod te doen. Ik knik tevreden.

„Oh, ik zie dat u een scherpe deadline heeft," zeg ik dan, alsof het me nu pas opvalt. Ik blader wat in mijn agenda en zie uitsluitend maagdelijk witte pagina's. „Even kijken. Als ik nu… Ja, dat moet wel kunnen. Zoals ik het nu bekijk, lukt het me wel om vanmiddag nog een gaatje vrij te maken voor een eerste bespreking."

„Dat zou geweldig zijn," reageert de man verheugd.

„Zal ik anders direct naar u toekomen?"

Hij aarzelt even. „Tja, ik heb eigenlijk pas tijd om een uur of drie. Is dat een probleem?"

Vreugde maakt plaats voor teleurstelling. „Nee hoor, dat kan ik wel regelen," zeg ik echter. „Dan ben ik om drie uur bij u."

Ik hang op en merk verwonderd op dat ik met mijn pen grote, donkere figuren op een kladblaadje heb zitten krassen. Ik heb wel eens in een tijdschrift gelezen dat de figuurtjes die je gedachteloos tekent, iets zeggen over je karakter. Ik wil niet weten wat de zwarte vlakken zeggen over mij.

Mijn telefoon piept.

Ik hoor net dat we een relatie hebben. Cool! Bart

Er kan slechts een flauw glimlachje af. Sasja heeft meteen haar broer ingeseind, die het allemaal heel grappig vindt. Ooit, in een volgend leven, zal ik hier misschien zelf ook om kunnen lachen.

„Oh shit, daar is hij," zegt Emily. Haar vingers gaan nog een beetje sneller over het toetsenbord. Ik frons mijn wenkbrauwen, maar dan hoor ook ik Björns stem in de gang. Het liefst zou ik onder mijn bureau kruipen.

Emily veert overeind en rent de gang op. „Hai, Björn," hoor ik haar zeggen. Knap hoe ze de indruk weet te wekken de ontspanning zelve te zijn, terwijl ze stijf staat van de stress.

„...even iets uitprinten...” hoor ik Emily zeggen en ze loopt met snelle pasjes terug naar onze kamer. Meteen valt het masker van ontspanning van haar af en vliegen haar vingers weer over het toetsenbord.

„Zal ik even in de vergaderzaal wachten?” klinkt dan Björns stem vanuit de deuropening. Hij lijkt te schrikken als hij mij ziet. Even ontmoeten onze ogen elkaar en in die milliseconde probeer ik te peilen wat hij denkt, maar ik krijg geen hoogte van hem. Snel wend ik mijn blik af. Björn zegt niets.

„Klaar!” roept Emily opgelucht. De printer begint te ratelen. Ze grist de blaadjes mee en gaat Björn voor naar de vergaderzaal. Het enige wat achterblijft, is de geur van zijn aftershave.

16

„Lekker," oordeelt Lily. „Heel lekker."
„Vind je?" Sasja trekt haar neus op. „Het smaakt naar niets. Het smaakt niet eens naar thee."
„Het is ook groene thee," leg ik haar uit. „Die smaakt niet naar thee, maar naar, nou ja, naar groene thee."
„Ik weet heus wel hoe groene thee smaakt," antwoordt ze gekrenkt. „Maar dit smaakt meer naar groene thee met een flinke scheut zeepsop. Of nee, plantenvoedsel."
„Hoe weet jij nou hoe plantenvoedsel smaakt?" vraagt Lily. Sasja steekt haar tong uit.
Ik bekijk de verpakking van de groene thee uitvoerig. „Het smaakt inderdaad naar zeepsop, maar dat noemen ze hier 'bloemenextracten'. Die man is er zelf ook helemaal weg van."
Sasja blaast in haar kopje en neemt nog een slok. „Ach, als je het zo zegt, smaakt het eigenlijk al een stuk beter. Bloemenextracten, die naam staat me wel aan."
„Welkom in de wondere wereld der reclame," zeg ik, en ik maak een mentale aantekening dat ik de bloemenextracten een prominente rol moet geven in de campagne.
„Hoelang heb je de tijd voor deze opdracht?" wil Lily weten.
„Een paar weken. Zoals gewoonlijk wil de klant weer eens snel resultaat zien. Maar dan moet hij natuurlijk geen afspraken gaan afzeggen." Ik glimlach breed. Mijn nieuwe project, de klant die groene thee met bloemenextract in de markt wil zetten, slokt veel van mijn tijd op en de afgelopen twee dagen, sinds de eerste afspraak bij de opdrachtgever, heb ik gelukkig veel minder tijd gehad om aan Björn te denken. Dat hij zich al die tijd niet op

kantoor heeft laten zien, scheelt natuurlijk ook.

Eigenlijk zou ik vanochtend de eerste opzet van de campagne aan onze klant laten zien, maar hij heeft afgebeld omdat hij een flinke voedselvergiftiging heeft. Ik durfde niet te vragen of zijn eigen thee er misschien iets mee te maken had.

Mijn collega's denken dat ik bij de klant zit, maar in plaats daarvan heb ik Sasja en Lily, die vandaag allebei een vrije dag hebben, bij me uitgenodigd. Vanmiddag zal ik wel naar kantoor moeten, maar hoe minder ik er vandaag ben, hoe beter. Ik weet dat Björn, Simon en de drie secreten van de marketing er de hele dag zijn. Ik overweeg om Pepijn te bellen om met duizend excuses uit te leggen dat de bespreking bij de klant vreselijk uitloopt en dat ik de hele middag niet kom. Alhoewel, ik betwijfel of hij mijn afwezigheid zou opmerken als ik niets liet horen. Het enige dat voor Pepijn en Sjors telt, is de campagne van De Vriesch Verzekeringen. Ik durf uitsluitend aan mezelf toe te geven dat ik me eigenlijk een beetje buitengesloten voel.

„Volgens mij zou dit best eens een succes kunnen worden," zegt Lily als ze haar lege kopje op tafel zet. „Het smaakt exotisch en is tegelijkertijd heel gezond, omdat het groene thee is."

Ik knik. „Daar gaan we ook op inzetten."

Later die dag, als ik achter mijn bureau zit en me probeer te concentreren, zijn het die woorden van Lily die ik intyp. Exotisch. Gezond. Groene thee. Bloemenextract. Ik zoek naar wat mooie foto's die aansluiten bij mijn thema's. De opdrachtgever wil een vleugje mystiek, heeft hij me met veel armzwaaien en vage beschrijvingen duidelijk gemaakt. Ik zoek foto's uit van oosterse vrouwen in witte gewaden, die in een bloemenveld aan het werk zijn en zet ze in de tekst als illustratie. Het is niet ongunstig dat ik wat meer tijd heb gekregen om deze eerste opzet voor te bereiden. Ik weet zeker dat onze klant ervan ondersteboven zal zijn.

Ineens heb ik weer zin om ertegenaan te gaan. In plaats van te sippen over Björn of het feit dat ik me buitengesloten voel, moet ik laten zien wat ik kan. Pepijn en Sjors zullen in het vervolg wel beter weten dan me buiten te sluiten en Björn, tja, Björn zal spijt krijgen dat hij me heeft laten gaan.

Hoop ik.

Emily is vandaag opvallend relaxed, ook al zit ze de hele dag opgesloten in een vergaderzaal met die vreselijke mensen van De Vriesch Verzekeringen. En met Björn.

Jaloers kijk ik naar haar lege bureaustoel. Maar ik herstel me snel. De nieuwe Saskia kent geen jaloezie of boosheid. Ze kent slechts positivisme en succes.

Ik concentreer me weer op mijn werk en merk niet eens dat er een paar uur verstreken zijn, als Emily binnenkomt. Uitgelaten slaat ze haar armen om mijn hals. „We zijn klaar!" jubelt ze. „En ze vinden het prachtig! Iedereen is tevreden."

Ik voel een steekje spijt, maar zet me er snel overheen. De nieuwe Saskia is oprecht blij voor haar. Trouwens, Emily heeft de tevredenheid van Björn en zijn mensen ook meer dan verdiend. Ze heeft deze week elke dag tot minimaal acht uur achter haar computer gezeten.

„Wat heerlijk voor je!" juich ik met haar mee. „Dus vanaf nu heb je het iets rustiger?"

Ze knikt stralend. „Ja, gelukkig wel. De verloskundige zei ook dat ik het iets kalmer aan moet doen. Dit is de laatste dag dat die delegatie van De Vriesch hier is. Vanaf nu komen ze nog maar eens in de drie of vier weken." Ze rolt met haar ogen. „Vooral die Simon kan ik missen als kiespijn."

Ze laat me los en gaat achter haar eigen bureau zitten. Met één vinger tikt ze tegen de muis, maar ze doet niet eens moeite om op haar scherm te kijken. In plaats daarvan staart ze uit het raam. Ik kan de opluchting van haar gezicht aflezen en voel met haar mee. Simons extreem kritische houding kan zelfs iemand als Emily aan het wankelen brengen. De afgelopen dagen heeft ze vaak aan zichzelf getwijfeld, maar gelukkig voor haar krijgt ze nu toch de waardering die ze verdient. Ik ben echt blij voor haar en knipoog als ze mijn kant uit kijkt.

Ineens veert Emily overeind en grabbelt haar spullen bij elkaar. „Ik ga naar huis," kondigt ze aan. „Als ik snel ben, ben ik nog net op tijd om een terrasje te pakken in de zon. Ik snak naar een glas koele Prosecco." Ze ziet mijn waarschuwende blik en knikt braaf. „Maar ik neem natuurlijk braaf een beetje limonade. Gut, als de zon schijnt en de terrasjes in de stad zitten vol, is zwanger niet echt *the thing to be*."

Ze pakt haar tas, zwaait nog even naar me en is dan verdwenen. Ik kijk op het digitale klokje op mijn toetsenbord. Het is halfzes. De tijd is werkelijk voorbijgevlogen.

„Doei!" roepen Pepijn en Sjors, die al in net zo'n uitgelaten stemming zijn als Emily. Ze gaan linea recta naar hun stamkroeg, om hun succes te vieren.

Achter hen lopen Simon en de drie marketingvrouwen. Ze keuren me geen blik waardig. Als ze voorbijgelopen zijn, steek ik heel kinderachtig mijn tong uit.

Ik wacht op nog meer voetstappen. Björn zal ook wel willen delen in de feestvreugde.

Pepijn steekt zijn hoofd om de hoek van de deur. „Sas, iedereen is al weg, behalve Björn. Hij moet nog wat dingen doen en werkt op zijn laptop op mijn kantoor. Maar je mag wel naar huis gaan, hoor. Björn zal de deur wel op slot draaien, als je hem de sleutels geeft."

Ik knik. „Oké."

Als Pepijn vertrokken is, dringt wat hij heeft gezegd pas goed tot me door. Iedereen is weg, maar ik zit hier nog, samen met Björn. Dit is precies waar ik de afgelopen dagen op heb gewacht, maar nu het eenmaal zover is, weet ik niet wat ik moet doen. Ik verstijf als ik voetstappen op de gang hoor.

Björn komt voorbijlopen, bedenkt zich dan blijkbaar en loopt terug. Hij houdt halt voor de deur van mijn kamer. „Oh, hoi," zegt hij luchtig. „Je hoeft niet op mij te wachten, hoor. Ik sluit wel af."

Zonder mijn blik los te maken van de zijne, ram ik wat op mijn toetsenbord. „Ik zou wel naar huis willen, maar ik heb het razend druk," verzin ik snel. „Let maar niet op mij. Ik heb nog van alles te doen. Voor een belangrijke klant," voeg ik er snel aan toe. Björn fronst zijn wenkbrauwen, maar zegt niets. Hij draait zich om en loopt weg.

Ik hijg alsof ik de marathon heb gelopen. Ik zoek mijn mobiel.

„Zullen we een terrasje pakken?" is het eerste wat Lily zegt als ze opneemt. „Het is prachtig weer. Ik heb Sasja al gebeld en zij is al onderweg naar mij. Kom je ook?"

„Ik kan niet," zeg ik op gedempte toon. „Zit met Björn op kantoor. Alleen met Björn."

„Ooh!" roept ze begrijpend. „Nee, dan heb je inderdaad wel iets anders te doen dan wijn drinken op een terras. Waarom bel je me eigenlijk? Hup, aan de slag jij."

„Dat is nou juist het probleem. Ik weet niet hoe ik het moet aanpakken. Hij doet zo raar tegen me. Ik durf hem niet gewoon aan te spreken. Waarschijnlijk rent hij dan gillend weg."

„Welnee," is Lily's mening, maar ik weet dat ze dat vooral zegt om mij gerust te stellen. Zelf ben ik er helemaal niet van overtuigd dat alles goed komt als ik maar met Björn ga praten.

„Je weet best hoe je het moet aanpakken, Sas," praat Lily me moed in. „Je moet alleen niet zo onzeker zijn. Weet je nog in het begin met Xander? Je was één bonk zelfvertrouwen. Dat leek veel meer op de Saskia die we kennen. Je gedraagt je nu als een verliefde bakvis, die niet weet of ze de jongen die drie klassen hoger zit op het schoolplein moet aanspreken."

Normaal gesproken vind ik Lily's eigenschap om precies te zeggen wat ze denkt geweldig, maar nu baal ik ervan dat ze me met de waarheid confronteert. Ik moet het echter wel onder ogen zien. Ik ben 26, geen 16. Ik zou toch onderhand wel beter moeten weten dan zo onzeker te doen. Ik recht mijn rug en knik. „Je hebt gelijk," zeg ik dan.

„Zo mag ik het horen. Succes en bel ons!" Lily hangt op. Meteen overvalt de stilte van het kantoor me weer. Misschien is dit ook niet de goede plek om het gesprek te voeren dat ik wil voeren.

Helaas ben ik niet in de positie om te bepalen dat we ergens anders heen moeten. Als ik dat voorstel, lacht Björn me waarschijnlijk vierkant uit. Het is hier of nergens, nu of nooit.

Ik rijd mijn bureaustoel achteruit met de bedoeling op te staan, maar het lijkt wel alsof ik met lijm vastzit. Mijn benen voelen aan als lood. Ik schuif weer naar voren en richt mijn aandacht op mijn beeldscherm. Ik moet nog wat meer moed verzamelen. En wat beter nadenken over wat ik ga zeggen. Deze kans mag ik niet verknallen.

Mijn nieuwe klant zal wel blij zijn met de situatie waarin ik me bevind, al kan hij natuurlijk niet weten dat dat de reden is waarom ik zoveel tijd besteed aan de opzet van zijn campagne. Haast ongemerkt zijn er twee uur voorbijgegaan. Het is inmiddels donker buiten en ik knip het lampje op mijn bureau aan. Een zachtgeel licht vult de ruimte. Ik spits mijn oren om te luisteren of ik Björn hoor, maar het is stil in het kantoor. Toch moet hij er nog zijn.

Met een ferm gebaar druk ik op 'opslaan'. Daarna strijk ik over mijn mini denimrok en de strakke, grijze legging die ik eronder draag. Ik laat mijn donkerblauwe pumps aan mijn tenen bungelen en schuif ze dan weer aan mijn voeten. Om me heen kijkend zoek ik naar meer mogelijkheden om tijd te rekken. Ik wil opstaan en naar Björn lopen, maar ik doe het niet.

Nog altijd heb ik niet helder wat ik wil gaan zeggen. 'Sorry' klinkt nogal afgezaagd en bovendien, waar moet ik sorry voor zeggen? Dat ik met Bart danste? Misschien is dat het probleem niet eens. Ik weet eigenlijk niet waar Björn mee zit, dus hoe moet ik in vredesnaam weten wat ik tegen hem moet zeggen? Ik stel vast dat het oneerlijk is, maar ik heb geen idee bij wie ik moet gaan klagen.

Net als ik toch maar wil opstaan, hoor ik voetstappen op de gang. Ik verstijf. Björn gaat weg!

Maar hij verschijnt in de deuropening en ziet er niet uit alsof hij op het punt staat het pand te verlaten. Hij kijkt naar me. We zeggen allebei niets. Hij doet een paar stappen naar voren en staat ineens vlak bij mijn bureau.

In het zachte schijnsel van mijn lamp lijken zijn ogen fluweelzacht. En heel erg donker.

Björn gaat op Emily's stoel zitten en leunt een beetje voorover. „Wil je nog weten hoe het afliep?" vraagt hij en zijn stem klinkt een beetje schor.

Ik kijk hem aan en weet niet waar hij het over heeft.

„Het verhaal van Elsbeth en Arend," verduidelijkt hij.

Ik knik langzaam, hoewel ik wel 'ja' wil schreeuwen. Het gaat me niet eens meer om Elsbeth en Arend, hoewel het verhaal me niet heeft losgelaten. Maar ik wil gewoon heel erg graag dat Björn niet weggaat. Mijn hart hamert in mijn keel.

„Arend werd inderdaad naar Nederlands-Indië gestuurd," begint Björn met een zachte stem te vertellen. „Eerst was Elsbeth blij met haar herwonnen vrijheid, al verwachtten anderen van haar dat ze verdrietig was omdat de prille liefde zo snel alweer verbroken was. Haar familie hoopte op een bruiloft als Arend terugkwam, al kon dat jaren duren. Ze waren dan ook geschokt toen Elsbeth haar oude leventje oppakte en net zo ongebonden was als altijd. Maar voor haar betekende Arends vertrek niet meer dan het eind van een leuke tijd en het begin van weer een nieuwe, spannende periode. Althans, zo leek het." Hij zwijgt even en ik probeer mijn gedachten te ordenen. Aan de ene kant wil ik zo graag horen hoe het verderging. Aan de andere kant wil ik hier uren met Björn blijven zitten. Het einde van het verhaal zal ook wel het einde van ons samenzijn betekenen.

„Na een paar weken merkte Elsbeth echter dat ze iets miste. Ze wist niet wat dat zou moeten zijn, want ze had toch alles wat ze nodig had. Ze had een woonruimte, een baan en al die vrijheid waar ze altijd naar had verlangd.

Maar ze miste de warmte en de genegenheid die ze bij Arend had gevoeld. Ze miste het dat ze naar hem toe kon gaan en dat ze uren praatten over van alles en nog wat." Hij glimlacht even. „Arend was intussen in Nederlands-Indië aangekomen en deed niets anders dan haar brieven schrijven. Maar de meeste daarvan kwamen niet aan. Pas na een halfjaar kreeg Elsbeth de eerste brief. Dat is de brief die in jouw bestekset zat. Daarin liet hij weten dat hij nog zeven maanden in Indië moest blijven. Vanaf dat moment ging Elsbeth zich verheugen op zijn terugkomst. En tegen de tijd dat hij eindelijk thuis was, wist ze zeker dat ze hem nooit meer wilde missen. De onaangepaste Elsbeth was ineens klaar voor het huwelijk en zodra hij er was, trouwden ze. Ze heeft er nooit een seconde spijt van gehad. Vijf jaar na het huwelijk, toen ze eigenlijk de hoop op een kind al hadden opgegeven, raakte Elsbeth in verwachting. Mijn moeder werd geboren en hoewel ze graag meer kinderen hadden gewild, bleef het bij die ene dochter. Ze waren een ontzettend gelukkig gezin. Maar halverwege de jaren zeventig werd Arend erg ziek. Pas veel te laat werd ontdekt dat hij kanker had. Hij overleed en vanaf dat moment is Elsbeth nooit meer dezelfde geworden, als ik mijn moeder mag geloven. Ze was een geweldige oma, hoor, en ik heb nooit iets van het verdriet aan haar gemerkt. Maar mijn moeder zei dat voor Elsbeth de glans eraf was. De laatste jaren praatte ze erg vaak over Arend en ze was ervan overtuigd dat ze naar hem toe zou gaan, als het haar tijd was. Ik hoop voor haar dat ze gelijk heeft gekregen."

Hij zwijgt en lange tijd is het zachte gezoem van mijn computer het enige geluid in de kamer. „Het is prachtig," verbreek ik dan de stilte.

Björn kijkt me vragend aan.

„Het verhaal," verduidelijk ik. „Wat een prachtig verhaal. Je oma moet een heel bijzondere vrouw zijn geweest."

Björn knikt. „Dat was ze ook. Ik mis haar, al heeft ze een prachtig leven gehad en was ze klaar om te gaan, toen ze stierf."

„Zo lang was het eind niet," zeg ik dan.

„Wat bedoel je?"

„Het eind van het verhaal. Hooguit vijf minuten."

Björn kijkt niet-begrijpend.

„Dat had je best in het restaurant kunnen vertellen."

Hij glimlacht een beetje. Zijn gezicht krijgt zachte trekken als hij dat doet. „Ik had mijn redenen om het niet te doen. Ik wilde graag nog een keer met je afspreken."

Het lijkt wel alsof hij zich ineens realiseert dat hij hier niet zou moeten zijn, gezien alles wat er gebeurd is. Snel staat hij op. „Ik moet gaan. Je vriendje zal zich wel afvragen waar je blijft."

Ik sta op en loop om het bureau heen. Als ik vlak voor hem sta, zie ik opnieuw de zwarte spikkeltjes in zijn bruine ogen, al is het halfdonker in de kamer.

„Björn," zeg ik zacht, maar zelfverzekerd. „Degene met wie jij me hebt zien dansen is mijn ex-vriend Bart. De reden dat hij mijn ex is, is dat hij er tijdens onze relatie achter kwam dat hij meer op mannen dan op vrouwen valt. Hij ging vreemd met een barman en we gingen uit elkaar, maar hij is nog steeds een van mijn beste vrienden. Ik wilde je al veel eerder uitleggen hoe het zat, maar jij… Het kwam er niet van."

„Hij is… homo?"

„Precies. Ik weet niet waarom je ineens niet meer wilde dat ik de campagne zou doen, maar als het iets te maken heeft met het feit dat je je bedrogen voelde, omdat ik er volgens jou een vriendje op na hield, terwijl ik boos op je was dat je niet het achterste van je tong had laten zien, dan hoop ik dat ik bij deze dat misverstand heb rechtgezet."

Björn kijkt me aan. „Sas, ik... Het sp..."

Maar verder komt hij niet met zijn excuses. Ik sla mijn armen om zijn nek en doe wat ik al zo lang wil doen. Björn beantwoordt mijn kus gretig. Ik voel zijn handen op mijn lichaam en huiver van genot.

„Ga met me mee," fluistert hij schor in mijn oor.

Ineens herinner ik me iets en ik maak me los uit zijn omhelzing. „Maar je vriendin dan?"

„Wie?"

„Je vriendin. De blonde vrouw met de sportauto."

Hij schudt zijn hoofd. „Ik weet niet waar je het over hebt. De enige blonde vrouw met een sportauto die ik ken, werkt op mijn marketingafdeling. Ik beloof met mijn hand op mijn hart dat zij nooit mijn vriendin zal worden, omdat ze nogal onaardig is en ook een beetje een snor heeft."

Ik moet lachen om zijn treffende beschrijving. Björn trekt me naar zich toe en kijkt me serieus aan. „Ik heb veel fout gedaan, Sas, en daardoor heb ik het bijna bij je verprutst. Er zijn de afgelopen tijd heel wat nachten geweest waarin ik niet kon slapen en me heb afgevraagd wat me bezielde om me zo te gedragen tegen jou. Ik heb vastgesteld dat ik een stomkop ben en dat jij iemand verdient die veel beter voor je is dan ik. Maar desondanks wil ik je vragen om een nieuwe kans."

Ik wil zijn vraag al beantwoorden met een nieuwe zoen, maar hij houdt me tegen. „En wil je alsjeblieft weer degene zijn die de campagne van De Vriesch Verzekeringen gaat uitvoeren?"

Beide vragen beantwoord ik door hem naar me toe te trekken en opnieuw vinden mijn lippen de zijne. Björn knipt het lampje op mijn bureau uit. „Kom mee," zegt hij hees in mijn oor. Ik volg hem maar al te graag.